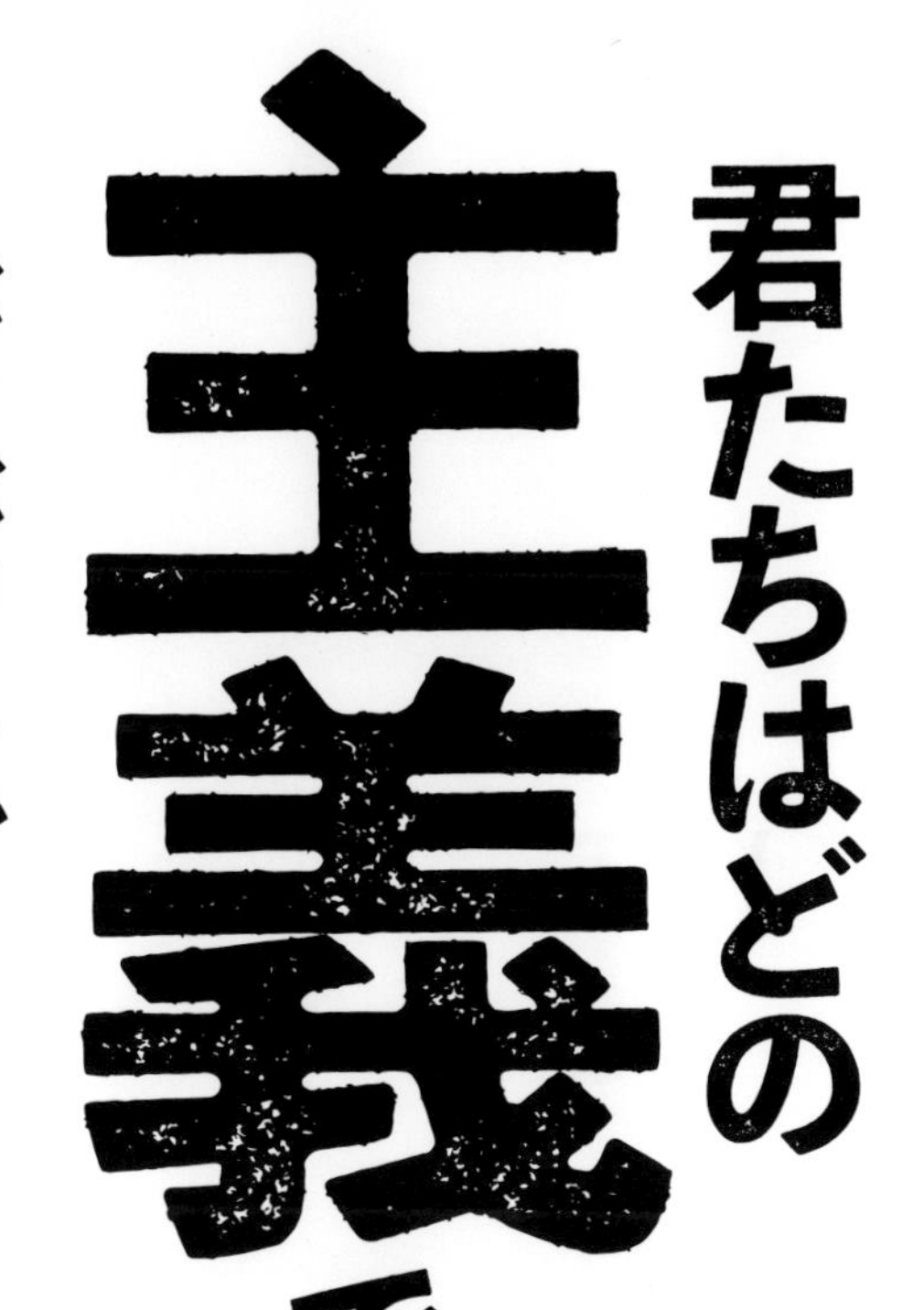

君たちはどの主義で生きるか

バカバカしい例え話でめぐる世の中の主義・思想

さくら剛＝著

ウェッジ

君たちはどの主義で生きるか

バカバカしい例え話でめぐる世の中の主義・思想

まえがき

最近のゲームって……、超ムズくないですか？

はっきり言って、バイオハザードとかファイナルファンタジーとかウマ娘とか、新作を自力だけでクリアするのはほぼ無理です。

マニアの方は違うのでしょうが、一般ゲーマーは情報なしではあっさり取り残される難易度。攻略本を見なければどんな分岐があるかもわからないし、ましてベストエンディングなんて到底辿り着けません。


実は、人生も最近、そうなっているんです。

人生も、攻略本がないとすぐに道を見失う時代なんですよ。今って。

もはや令和時代の人生というのは、一般人が自力で攻略できる難易度ではありません。僕たちはどう生きればいいのだろう？ と未来に目を凝らしても、まるで地図もなしに真っ暗なダンジョンに放り込まれたかのように、視界は闇に覆われています。

西暦2020年代の人生は、攻略本がなければどんな分岐があるのかもわからないし、ベストエンディングなんて夢のまた夢なんです。

例えば昭和の経済成長期人生ならば、

1．一流大学から大企業に就職ルート↓ハッピーエンディング
2．身内のコネで地元企業に就職ルート↓ハッピーエンディング
3．そこそこのお相手見つけて結婚ルート↓ハッピーエンディング

のような、わかりやすい攻略ルートが用意されていました。

ところが令和以降の日本では、それらの「昭和の攻略ルート」を頼りに進んでも、**途中でいきなりバグってフリーズ、バッドエンドのゲームオーバー**となるケースが多発です。

21世紀の人生ゲームは、ハードモードしか選べません。良い仕事に就けても少子で高齢化を支えるため給料の半分は没収され、それでも健気に頑張っていたらＡＩにポジ

ションを奪われ、挙げ句の果てに変な感染症が流行って会社ごとなくなり……(涙)。

今や決して少なくない人々が心身のステータスを崩し、人生の攻略を放棄せざるを得なくなっています。中には自暴自棄で「無敵の人」にクラスチェンジし、凶悪犯罪に走って他人の人生ゲームまで強制終了させようとする者も出る始末。

このような歴史上最難関とも言えるハードモード……いやアルティメットモードの人生を、私たちはどう生きていけばいいのでしょうか？　人生というダンジョンに地図もなく放り出された我々は、いったいどんな信念を持ち、どのような価値に向かって歩を進めれば良いのでしょうか？


実は、この荒野のダンジョンにおいて、攻略本代わりに道を照らしてくれる……、かもしれない、かすかな光があるんです。

それが、哲学者・思想家たちの残した**主義・思想**です。

2000年以上も前から、世界の賢人たちは「人間はどのように生きるべきか」「我々がもっとも優先すべき価値とはなにか」etc.という人生ゲームの攻略法をコツコツと築き上げて来ました。

時代は大きく変わっても、人の悩みの本質はたいして変わらないものです。生き方や生きる理由や理想の幸せや社会の作り方……、私たちがいま頭を悩ませていることに、偉人たちは我々より何百年も早く、そして長く悩んで来たのです。その彼らが到達した思想・主義を学べば、私たちが迷い込んだ迷宮にも光が灯されるかもしれません。

ただ、偉人や賢人の思想を学ぶにあたり、ひとつ大きなハードルがあります。

それは、**哲学者や思想家の使う表現が難しすぎて、なみの人間では理解ができない**ということ。

私も人生ダンジョンで迷いながら主義&思想を学ぶ人間の一人ですが、賢人の本を読んでみると、彼らの書く文章がとにかく難しい。悟性概念やら肯定態やら自体存在やら綜合的統一やらア・プリオリやら環境世界の道具的存在者やら、**日本語訳を読んでいるはずなのにラテン語の原著を読むのとまったく難易度が変わらない**という、非常に腹立たし……いやエレガントな表現の数々。

私は思いました。

せっかくの攻略本がこれではもったいないと。ハードなゲームを攻略するために攻略本を手に入れたら、攻略本を解読することがゲーム自体よりハードモードだというこの状態をなんとかしたい。ゲームを攻略する前に攻略本の攻略から始めなければいけないこの不合理な現状を……。

その思いが、私がこの本を書く動機となったのです。

素晴らしいことが書いてあるのに解読が難しすぎる攻略本を、なんとか令和の人生ゲーマーたちにも届けたい。ハードな荒野で立ち往生している現代人たちに、地図のカケラだけでも届けたい。

私は賢人たちのお堅い攻略本を現代風に解体し、令和の人々にも伝わるような書き換えにトライしました。そしたら**行きすぎて非常に品性に欠ける、バカバカしい例えがいっぱいの原稿になりました。**かなり解体のさじ加減を間違えましたが、まあその加減を間違えるのが私の通常営業なのでいいのです。私がもし加減を間違えずに落ち着いた本を書いたら、出版社から書き直しを命じられることでしょう（泣）。

というわけでこの本では、過去の偉人たちが確立した主義・思想を22章にわたって紹介しています。

もしかしたら22＋αの思想のうちどれかひとつが、あなたのハードな人生を攻略する手助けになるかもしれません。なるかもしれないし、ならないかもしれない。

でもならなかったとしても、アルティメットモードの人生をハードモードに、ハードモードの人生はノーマルモードに、ちょっとだけ難易度を下げてくれることはあるかもしれません。あるいは「**自分がこれを選んじまったらゲームオーバーや！　この思想は絶対に採用しねえぞ!!**」という教訓くらいは得られるかもしれない。

自分にはどの主義が合っているのか？　自分が選ぶべきはどれで、選んではいけないものはどれか？　みなさんそれぞれでご自身の最適解を探しながら、この先を読み進めていただければと思います。

（もくじ）

Chapter 1 道徳

正しさについてどう考えるか

Chapter 2

組織

身勝手な集団をどうまとめるか

Chapter 3

曖昧な現実をどう捉えるか

Chapter 4

自分の人生をどう生きるか

Chapter 1

道徳

◎正しさについてどう考えるか

プロローグ

チャプター1では、「私たちそれぞれが日々の暮らしの中で選べる価値観」として、「相対主義」「功利主義」「人格主義（カント主義）」「利己主義」「利他主義」の5つの思想を紹介します。

往々にして、「ある人の幸せ」は「他の誰かの幸せ」とぶつかりがちです。

Aさんが人気のフルーツサンドを買えばBさんの手前で売り切れるかもしれず、Cくんがクラスのマドンナ Dちゃんと付き合えばクラスメートは悔しがり、Eさんがレギュラーになれば Fさんは控えに降格、漂流中の Gさんが Hさんの浮き輪を奪えば Hさんは沈みます。

大なり小なり、「ある人が幸せになると、その分誰かが不幸になる」という状況は無数に存在します。残念ながら世の中の多くの幸せは、席数が限られているのです。

そんな現実の中で、私たちはどのような価値観に沿って幸福を追いかければ良いのでしょうか？

自分の人生なのだから、自分の幸福だけをひたすら追い求めるのが正解なのでしょうか？ それとも「それを手に入れた時にもっとも幸せになるのは誰か」を考え、一番メリットの大きな人に与えるべきなのでしょうか？ あるいは「早い者勝ち」や「能力のある者勝ち」というルールに則り、厳格にルール通りに幸せの獲得者を決めるべきでしょうか？

幸福、あるいは「人々の間の幸福のバランス」については、古くは古代ギリシア時代から、多くの哲学者や言論人が議論を重ね、思想を作り上げてきました。コンピューターに取り囲まれ人々の生活スタイルが大きく変わった21世紀でも、それらの思想はまだまだ使えます。

もちろん、「こうすれば必ず幸せになれる」という鉄板のファイナルアンサーがあるわけではありません。しかし「自分や家族をもっとも幸福に近づけてくれる価値観はいったいどれだろう？」と考えてみることが、幸福に近づくための方法のひとつであることは間違いないでしょう。

これから紹介する5つのうち、あなたが共感できるのはどの思想でしょうか？

1. 相対主義

最初に紹介するのは、**「相対主義」**です。

唐突ですが、私は一時期、新選組にハマっていました。

なんと言っても「池田屋事件」がシビれます。京都の警備隊である新選組が、旅館・池田屋に乗り込んで、テロの謀議をしていた尊王攘夷派の志士たちを叩きのめした事件です。

新選組はなんと、たった4人で大勢の敵の中に斬り込んだのです。戦いの中で沖田総司は病のため吐血、藤堂平助は額を斬られて危機一髪となりましたが、ああもうダメだっ、やられる‼ と思ったその時、土方歳三率いる新選組別働隊が到着。長州や土佐の攘夷派志士たちを一網打尽にすることができたのです。

新選組のドラマや小説で池田屋のシーンが出て来るたび、毎回私は大興奮でした。うおぉ〜行け新選組!!　テロリストどもをぶった斬れ!!　ああっ、沖田が血を吐いてる！　がんばれ沖田！　負けるな沖田!!　もうすぐ土方さんが加勢に来るぞ!!　ファイト新選組!!!

……と、必死に新選組を応援したものです。

ところが。

その後、私は一転して、坂本龍馬にハマりました。

龍馬は尊王攘夷派の仲間なので、そちら側の視点では、新選組は憎い敵になります。

それから龍馬のドラマや小説で池田屋のシーンが出て来るたび、私は逆の大興奮です。

ウオォ〜行け尊王攘夷派志士!!　たった4人で殴り込みとはナメ腐りやがって新選組!!　権力の犬どもなど革命戦士・攘夷派が返り討ちじゃっ!!!　おっ、よっしゃ、沖田が血ぃ吐きやがったぞ!!　ざまあっっっｗｗｗ!!!　今やっ、その軟弱野郎を囲んで串刺しやっ!!!　おいっ、藤堂平助の額斬った奴、まだ藤堂生きてるやないか!!　**もっと顔面真っ二つになるくらい気合い入れて叩き割らんかいっ!!!　確実に殺さんかい藤堂のボケをっっ!!!**　急げっ、もうすぐ土方のボンクラが仲間のチンピラを連れて加勢に来るぞ!!!　**負けるな尊王攘夷派志士!!　ファイト尊王攘夷派志士!!**

……と、我を忘れて志士たちを応援したものです。

で、その後また新選組のドラマを見ると、

このドグサレ尊王攘夷どもがっっ!!! 徳川様に弓引くカス侍どもは地獄の制裁を受けろやっ!!! ああっ沖田大丈夫か〜〜っ、がんばれ、俺がついてるぞ!! 土方さんが来るまで踏ん張れ!! 負けないでもう少し最後まで走り抜けて沖田〜〜っ!! I was born to love you 沖田〜〜〜っ!!! と……(以下略)

……………。

とまあ、そんな口の悪い日和見を繰り返しつつ、最終的には「新選組も攘夷派志士も、**みんなちがって、みんないいよね**」という、金子みすゞさんの境地に今の私は達しているのでした。

さて。

これが、相対主義です。

つまり、AとBの2つ(あるいはそれ以上)の意見がある時に、どちらかひとつだけを絶対的な善とするのではなく、「どちらにも正しさはある」と考える姿勢。「どちらが正しいのか?」ではなく、「正しさは立場によって異なる」、そして最後には**「どっちもい**

いよね」「全部ありだよね」に到達するのが相対主義の考え方です。

世の中には様々な価値観があります。特に現代社会では、モラルも宗教も礼儀も生き方も趣味趣向も、無限の様式が存在すると言っていい。

そんな中で、「お釈迦様は認めるけどキリストは認めないよ」「異性愛は認めるけど同性愛は認めないよ」「きのこの山は認めるけどたけのこの里は認めないよ」『鬼滅の刃』の禰豆子の身体再生能力覚醒は認めるけど鬼舞辻無惨消滅後の竈門炭治郎の鬼化は認めないよ」などといちいち争っていたら、キリがありません。

みんなちがって、みんないい。私とあなたは違うけれど、どちらも同じくらいいいよね。とするのが相対主義です。

相対主義は、紀元前5世紀、今からおよそ2500年も前にこの世に生まれました。古代ギリシア・アテネで民主制が発展したことにより、政治家の弁論術として考案されたのが発端です。

古代ギリシアの哲学者プロタゴラスは、**「人間は万物の尺度である」**という言葉を残しています。

「尺度」は、定規とか物差しのこと。人間は万物の尺度というのは言い換えると「人はみな、自分なりの主観的な物差しで物や事を認識するのだ」ということです。主観的なので、人によってバラバラというのがポイント。その人がどのような尺度を設定するかによって、物事の受け止め方や評価はガラッと変わるんです。新選組の側に立つか龍馬の側に立つかで善悪の概念も180度変わってしまうように。

新選組以外にも、いろいろ具体例を考えてみましょう。

これはどうでしょう。「富士山」は、大きいでしょうか？　それとも、小さいでしょうか？

……はい。そうです。正解は、**「人それぞれ」**です。

富士山が大きいか小さいかは、相対的＝見る人によって変わる、のです。普通の日本人の感覚では大きいでしょうが、ネパールのシェルパや、国際宇宙ステーションから地球を見下ろしている若田光一さんにとっては、富士山なんて小さな存在でしょう。「大きい」のか「小さい」のか、どちらかが正しいわけではなく、「両方正しい」のです。

次、これはどうでしょう。「高校生」は、若いでしょうか？　それとも、もう若くはないでしょうか？

そうです、この答えも「人それぞれ」になります。

大人からすれば、10代の高校生など若さの象徴にしか感じられないでしょう。しかし先日私が女子プロレス団体「スターダム」の試合を見ていたところ、**現役女子中学生レ**

スラーが、現役女子高生レスラーを「こぉのクソババア〜〜〜ッ!!!」と罵りながら蹴り倒していました(本当です)。

私からしたらどっちも子供なのに、中学生から見れば高校生なんてもう**ババア扱い**という。17歳でババアだったら、アラフィフの私はもう化石も通り越して**化石燃料**なのでは……と、私はリングに上がってもいないのに胸が痛くなったものです。そしてまた、女子高生をババアと認識しているなら**もっとババアを大事にしろよ**と、高齢者をマットに投げて顔面を踏みつけるとは何事だと、敬老精神のない中学生レスラーを説教したくなりましたが、ともかく人の若さだってまた、相対的なものなのです。

さらに次です。テストの点数などで絶対評価を受けがちな「自分は勉強ができるかできないか」の認識なんかも、尺度次第で変わったりするのです。

語学を例にしてみますが、「英語を勉強している日本人」って、自分で「僕、英語喋れますよ」とはまず言わないものです。日本人の英語学習者１００人に「Do you speak English?(英語喋れる?)」と聞けば、98人は「I can't speak English!(喋れません!)」と胸を張って自信満々に答えることでしょう。

私もそうです。かれこれＤＭＭ英会話を2年間続け、レッスンではたまにスラスラ喋ることもありますが、「英語喋れる?」と問われたら、答えは迷わず「I can't speak

English!」です。たとえあと40年DMM英会話を続けたとしても、87歳になった私は「I can't speak English……」と遺言を語りながら死んでいくことでしょう。

なぜかというとまず、日本人は謙虚なんですよね。「自分はできる奴だぜ！」という態度を出すと顰蹙を買いかねない、謙遜を美徳とする文化に我々は生きているため、自分で「I do speak English!(俺は喋れるぜ！)」とはなかなか言えない。

その上でさらに、多くの日本人は「英語が喋れるかどうか」を判断する時に、海外の映画やドラマを尺度にしてしまうんです。あるいはアメリカ大統領の記者会見とか、BBCニュースとか。

そんな厳しい尺度を設定してしまうから、我々は「英語学習年数」と「『I can't speak English』を言い続ける年数」が永遠に同じ、という悲しい事態を招いてしまっているのです。

しかし、それが外国の人だとまた違う尺度だったりするんです。

私は一時海外を貧乏放浪していたことがあるんですが、例えばインドなどでは、尋ねてもいないのに「アイ　キャン　スピーク　ジャパニーズ！(俺は日本語が喋れるぜ！)」と得意気に主張して来るタクシーの運転手なんかがいたりします。そこで「えっすごいですね、じゃあなんか喋ってみてくださいよ」と求めてみると、運転手さんは唐突に**「ナ**

カター!! テリヤキーーー! ソンナノカンケーネー、オッパッピー!!」と大声で叫び、**それで終わり**だったりします。**いやそれだけかよっ!!!**と、さすがにこちらもツッコまさせられるという。

でも、私の尺度では彼は「日本語喋れない人」ですが、彼の尺度では彼は「日本語喋れる人」なんですよね。人間は万物の尺度なのだから、彼の尺度で測れば彼は日本語が喋れるんですよ。そこに正解も間違いもないんですよね。…………。まあ、**いったい彼はなにを尺度に設定したのか**はちょっと聞いてみたい気がしますが……。**そのへんの牛を尺度にしたんですかね?**

余談ですが、インドのお隣のパキスタンやイラン、バングラデシュなどの国では本当に「日本で働いていたことがあるので日本語ペラペラの人」によく出会いました。ただ、「日本で働いていたことがあるので本当に日本語ペラペラの人」は、「うわー日本語お上手ですね!」と褒めると、意外と**「いえいえ、ワタシの日本語はまだまだデスよ」と謙遜したりする**んですよ。

「日本語」と「日本人的な謙虚さ」みたいなものって、きっと分割不可能で、抱き合わせで習得されるのではないかと思います。だから日本語ペラペラのイラン人やパキスタン人は謙虚で、一方で日本語喋れないテリヤキ運転手とかは「俺は日本語が喋れるぜ

～！」とおごり高ぶって言えてしまうのでしょう。まあ尺度は人それぞれだから言っても全然問題ないんですけどね……。

相対主義が生まれた当初、つまり古代ギリシア時代には、「自然の事象に相対主義を適用するのは難しい」と考えられていました。例えば「太陽が昇る時間や沈む時間は誰にとっても同じ＝絶対的」のように。

ところが、アテネ市民の中では日の出や日没の時間が同じでも、他の大陸に住む人にとっては違います。実は地球は丸かったので、時差があるんですよね。アテネの人々が絶対的だと信じて疑わなかった太陽の昇る時間すら、実は相対的なものだったわけです。

さらに20世紀になると、アインシュタインが発表した相対性理論によって、**「時間の流れ」ですら人によって異なる、相対的なものであった**ということが明らかになります。

一般相対性理論では、「重力が強いと時間が遅れる」ということがわかっています。地球の重力は地球の中心に近いほど強く、遠いほど弱いため、海辺に住んでいる人と山の上に住んでいる人では、**重力の強い海辺に住んでいる人の方がわずかに時間の進みが遅れる**ことになります。ということは、**山に住んでいる人の方が歳を取るのが早い**のです。もっとも、同じ地球上であれば重力の差などたかが知れているので、誤差の範囲ではありますが。参考までに、高度２万㎞の上空を飛ぶ人工衛星で、地上より早く進む時間は１日あたり１００万分の38秒となります。

このように、古代には絶対不変だと思われていた「時間」すら、実は相対的な存在だったということが今ではわかっています。それならば「正義」や「道徳」や「善悪」のような曖昧なものにはなおさら絶対的な正解などあるわけがなく、結局のところあらゆるものは「人それぞれ」ということになるのです。他人の価値観や思想について、いちいち「これが正しい」「あれは間違っている」とジャッジするよりも、「みんなちがって、みんないい」と、お互いを尊重しながら過ごした方が気持ち良く日々を送れそうですよね。

もし新選組の沖田や土方、攘夷派の望月や宮部が相対主義者でいてくれたら、池田屋であんなに人が死なずに済んだのになと思います。

新選組と攘夷派志士たちが、互いの思想を認め合ってくれていたら。斬り合うのではなく、「攘夷派さんも一理ありますね」「いえいえ新選組さんこそごもっともです」「では先斗町(ぽんとちょう)で一献いかがですか？」「それはよいですなあ」と、互いにリスペクトを持って交流してくれていたら……。もしそうだったら、**なにが面白いんだそんな新選組……。**人が死なない大河ドラマなんてなにも面白くないよね……卑怯な作戦で相手を殺してこ

もしも新選組と攘夷派志士が相対主義者だったら…

その新選組なんだから……。

考えてみれば、相対主義は「みんなちがってみんないい」で争いを消し去る主義なので、とりわけ男子が好むような物語は、相対主義が採用されたら軒並みつまらなくなりますね。「人類も巨人も、みんなちがってみんないい」「青銅聖闘士(ブロンズセイント)も黄金聖闘士(ゴールドセイント)も、みんなちがってみんないい」「嬴政(えいせい)も羌瘣(きょうかい)も蒙驁(もうごう)も麃公(ひょうこう)も肆氏(しし)も録鳴未(ろくおみ)も楊端和(ようたんわ)も、みんなちがってみんないい」と和気あいあいやっていたら、「進撃の巨人」も「聖闘士星矢」も「キングダム」も人気低迷で連載が終わってしまいそうです。敵同士が互いを尊重する少年マンガなど、誰が読みたいものか。

が、しかし、物語と現実社会は別です。娯楽のストーリーで思い切り対立を楽しむ分、現実の世界では相対主義に基づき対立せず干渉せず自分の好みに従って自由に生きる。

主義としてはもっとも古いもののひとつですが、価値観の多様化した21世紀にこそ最大の効用を発揮するのが、この相対主義だと言えるかもしれません。

2. 功利主義

価値観の異なる相手とぶつかるのではなく、「みんなちがって、みんないいよね」とお互いを尊重する相対主義。社会に平和と自由をもたらす、素晴らしい思想だと思いませんか？

と、思いきや。

古代ギリシアで相対主義がもてはやされた結果、困ったことが起きました。

なんと、人々の、**倫理が崩壊してしまった**のです。

相対主義は、ちょっと自由すぎました。あれもいいよねこれもいいよねと、どんな価値観でも肯定しようとすると、「俺は定時前でも帰りたい時間に勝手に帰るぞ!!」という、倫理に反した**早退主義**すら認めなければいけないことになります（そんな主義はない）。

現代の社会情勢を見るとわかりやすいかもしれません。

21世紀もまた「みんなちがって、みんないい」という言葉がCMで流れる時代ですから、古代ギリシアに続く相対主義の隆盛期と言えるでしょう。しかし、「すべては人それぞれなのだ」とあらゆる価値観を認めることによって、「線路に入って記念撮影してもいいよね」「人の傘を持って行ってもいいよね」「キャンプ場にゴミを置いて帰ってもいいよね」「我が子を小学校にも通わせずクラウドファンディングで資金を集めてアンチを罵りながら配信旅行をしてもいいよね」と、倫理的に問題がある行動を取る人間が続出してしまっています。※架空の例であり、実在の人物や団体等とは一切関係ありません

もちろん、子供に義務教育も受けさせずにス○ディ号で日本一周みたいな(※実在の人物や団体等とは一切関係ありません)、そういう行為まで世間の人たちが「みんなちがってみんないいよね」と認めているわけではないでしょうが、しかし「多様性を認めよう！」という現代社会の風潮が、「小学校にも行かず『少年革○家』を名乗ってYouTuberになってもまあ許されるだろう」と彼らに思わせてしまっているという部分はあるはずです。※実在の人物や団体等とは一切関係ありませんと自信を持って言い切れない今日この頃です

結局、あらゆる価値観を認めようというのが相対主義の主旨なので、主旨に厳密にこ

だわれば**「倫理違反や悪の行為も認めるのが相対主義」**となってしまうのです。

ある人の幸福は他の人の幸福とぶつかるという中で、みんなが好き好きに動いたら社会の秩序は保てません。その点で相対主義は大きな欠点を持つことになります。

では、このような倫理の崩壊を生まずに済む、他の思想はあるのでしょうか？

そこで紹介したいのが、**功利主義**です。

功利主義は、18世紀にイギリスの哲学者ジェレミー・ベンサムが体系化した思想です。概念自体はもっと古くからありましたが、それをかっちり形にしたのがベンサムです。

功利主義を象徴するフレーズが、**「最大多数の最大幸福」**です。これは、**社会の幸福の合計値がもっとも高くなるように、法や政治や人々の行動の指針を決めよう**という考え方です。

ベンサムが画期的だったのは、人の幸福すなわち「快」を、「快楽計算」という数学的な方法で数値化したことです。

幸せや人の感情のような目に見えないものを数値化することは、18世紀には突飛なことでも、現代の人々にはすんなり受け入れられることのような気もします。おそらく、テレビゲームの中などでは当たり前に行われていることではないでしょうか？

私自身は残念ながら、ゲームには疎かったりします。日々英会話やパーティに忙しい私は、ゲームにうつつをぬかす時間なんてないんです。だから知識もまったくありません。ゲームより現実の仲間とのかけがえのない時間を大切にしたいタイプの人間ですから私は。

ただ想像で言わせてもらうと、例えば「龍が如く」の食事アイテムはスマイルバーガーが体力30回復で赤牛丸の牛丼だと45回復だとか、「ときめきメモリアル4」で語堂つぐみちゃんを中央公園に誘うと親密度が20上がる一方でエリサ・D・鳴瀬をボウリング場に誘うと15下がるとか、「信長の野望　革新」で家臣へ褒美として与えた時に上昇する忠誠度は九十九髪茄子の場合55で曜変稲葉天目では42だとか、そういう現実世界では難しい「人の状態や感情を数値化する」ということが、おそらくゲーム界隈では行われているのではないでしょうか？　私はゲームに疎いのでわからないですが。まったくの想像で例えを書いてみました。

ベンサムがやったのも、こういうことなんです。スマイルバーガーを食べることの幸福度は○ポイントで、語堂つぐみちゃんに告白される幸福度は○ポイントで九十九髪茄子(茶碗)を購入すると○ポイント、というように「幸福」「快」を数字で表すことを彼は試みたのです。

もっとも、食べ物の種類だけでもこの世に何万種類とあるわけですからベンサムがそ

幸福度を数値化する「快楽計算」

のすべてを採点したというわけではなく、彼がやったのは「採点の基準」を作ったことです。

快楽計算では、幸福・快を「強度（どれだけ強いか）」「持続性（どれだけ続くか）」「確実性（確実に手に入るか）」「遠近性（すぐに手に入るか）」「多産性（他の快も生み出すか）」「純粋性（純粋な快なのか、不快も含まれているのか）」「適用範囲（どれだけ広く行き渡るか）」の7つの項目で採点し、合計点を算出します。例えばスマイルバーガーはかなり美味しいので強度8、でも食べたらなくなるので持続性は1、お金を払えば手に入れられるので確実性は9ですぐ手に入るので遠近性も9、ひとつ買うとおまけで呪術廻戦グッズがもらえるので多産性は7、ただし高カロリーというデメリットがあるので純粋性は3、私以外への広がりは特にないので適用範囲は1。ということで、スマイルバーガーの総合快楽度は、38！　というように評価を出します。

快楽計算では、食べ物でも娯楽でも、**ジャンルが異なる快も同じ基準・単位で計算**します。「人の点数」ですら、計算基準は同じです。

じゃあ今度は、私の彼女の点数も出してみましょうか。私の彼女はめっちゃかわいいので強度は10（エッヘン！）、お店に通い続ける限りは会えるので持続性は9、ただお店を辞めちゃう可能性はあるので確実性は5、歌舞伎町までは電車で2時間かかるので遠近性は3、彼女を訪ねればお酒も飲めるので多産性は6、ただしセット料金に指名料にプレゼント代にと高額の出費がデメリットなので純粋性は2、私以外にもたくさんのお客さんを癒してあげているようなので適用範囲は10。合計は、45点。さすが、スマイルバーガーには楽勝だぜ!!

……………。

え、なんですか？　はい。そうですよ。仰る通り、**お店の女の子を彼女だと思い込んでいるだけですよ。**はいはいそうですね、**別にいいでしょ妄想で恋愛するくらいっ!!　そういうところでしょ歌舞伎町のお店っていうのは!!　お金払って**

るんだから夢くらい見させてよ!!　新システムのボトルサブスクも申し込んで売り上げに貢献してるんだからなっ(涙)!!!

ちなみに私自身の人としての点数は合計10点です(遠近性のみ10、他は0)。

……まあ、倫理が崩壊したおじさん(私)の話はさて置いて、この快楽計算を使い、**みんなの快の合計点がもっとも高くなるように行動しよう**というのが、功利主義、「最大多数の最大幸福」の考え方です。休日に「1日中家でゴロゴロして英気を養う」のがいいのか、「午前は掃除をして午後はジムに行く」のがいいのか「日帰りで鎌倉観光に出かける」のがいいのか、それぞれ点数をつけてみて最高値のプランを選ぶ。これが功利主義です。

もっとも、ケンブリッジ大学の研究によると、人間は1日のうちに小さなものから大きなものまで**トータルで35000回の選択をしている**そうです。その35000回すべてで各選択肢の「強度」「持続性」「確実性」「遠近性」(以下略)の7つの項目を計算し最適な選択をする、という完璧功利主義を実践していたら、1日分の選択が終わる頃には**世間では20年くらい経っていた、**なんてことにもなりかねないので(4日分の計算を終える頃に人生も終わります)、あくまで快楽計算は要所に絞って発動させることが大事です。

功利主義は個人にとっても有用ですが、集団の方向性を決定する時にもっとも効果を発揮する思想であるとも言えます。

例えば、飛行機って、時々落ちますよね？　世界では過去に飛行機が一度も墜落しなかった年はないし、おそらく今後も何十年、もしかしたら何百年と、飛行機が運用され続ける限り毎年どこかで飛行機は落ち、一定数の人が亡くなることでしょう。

でも、飛行機は廃止されません。もし今年いっぱいで飛行機を廃止すれば、来年飛行機事故で死ぬはずの何百人もの命が確実に助かるとわかっているのに廃止されません。それは、「来年飛行機を使って無事に移動できる人たちが飛行機を使ったことで得られる快の総合計値」が、「来年飛行機事故で死ぬであろう人たちやその遺族の苦しみの不快の総合計値」を上回っているからです。

ゴミ処分場や基地や原発などが、いくら近隣住民が反対しようと補償や強制執行を経て結局は作られるのも、政治というものが功利主義的な考え方で運営されているからです。

さて、この功利主義にはひとつ興味深い論点があります。それが、「最大多数の最大幸福」の「多数」に、**人間以外の生き物も含めるべきか**という点です。動物や魚の幸福も幸福に数えるかということですね。

果たして動物の幸福も、人と同じ基準で計算するべきなのか？　ベンサムは「人間以外の幸福も含めるべき」だと考えましたが、一方で、時代は違いますがアリストテレスやヘーゲルなどの哲学者は、動物には人格がないため人間と並べるべきではないと主張しました。

これは非常に難しい問題です。ペットを飼っている人にとっては、犬や猫は当たり前に家族の一員、その幸福を願わないなんてことはあり得ないはずです。動物だって「多数」の一員として、幸福の計算に入れてあげるべきと考えるでしょう。

しかし、仮に動物もすべて数に入れた上で功利主義を採用すると、我々は肉も魚も食べられなくなります。

みなさん、**去年1年間で、鳥を何羽食べましたか？　魚を何匹食べましたか？**

農林水産省によると、日本人は1人あたり年間12・6kgの鶏肉を消費しているそうです。1羽の鶏から取れる肉が1200g程度だそうなので、**我々は平均して1年に10羽の鶏を食べている**ことになります。10年なら100羽です。しらす丼なら**1食でイワシの稚魚の命を1000ほど奪う**ことになります。

つまり、人間以外も多数に含めるのならば、ヴィーガニズム(完全菜食主義)の実践者でもない限り我々は功利主義に逆行する行動を取っていることになります。むしろ、人間を1人殺せば何百という鶏、何千という魚の命が失われずに済むわけですから、**殺人こそが最大多数の最大幸福を生む行為**ということになります。

生物に入れていいのか評価は割れると思いますが、**ゾンビ**もそうです。私は過去にゾンビが哲学する本(なんだそれ)を書いたことがあり、その準備としてゾンビ映画を見るたび功利主義について考えさせられていました。

ゾンビ映画を見ていると、人間とゾンビでは、圧倒的にゾンビの方が数が多いですよね？ 少数の生き残りの人間が大量のゾンビに囲まれるというのがゾンビ映画のセオリーです。しかも物語が進むにつれ人間の数は減りゾンビが増えます。

ゾンビの映画やドラマを鑑賞する時、我々は恐ろしいゾンビから人間たちがいかに逃れられるかをハラハラしながら見守るわけですが、功利主義の観点からすると、**少数の人間はさっさとゾンビに食われるべきだ**ということになります。5人や10人の人間が死のうと、多数のゾンビがご馳走にありつける方が総合的な幸福度は大きくなるわけですから。それこそが最大多数の最大幸福であるし、現に我々人間が牛や豚に対して行っていることでもあります。

功利主義の採用にあたっては、適用範囲や適用場面について、十分に検討する必要がありそうですね。

3. 人格主義（カント主義）

最大多数の幸福を目指してきちっとルールを定める功利主義は、相対主義の欠点「みんなバラバラすぎて倫理が崩壊」を抑止できるかと思いきや、実はこちらも案外、別の倫理問題を抱えていたりもします。

それが、**少数派が虐げられる**という点です。

前章から引き続き、ゾンビを例に考えてみましょう。

大量のゾンビに囲まれた少数の人間が生き延びようと奮闘している時、功利主義に則るならば、人間は**全員一刻も早く食われた方が良い**ということになります。ゾンビにも餓死という概念があると仮定して（エネルギー保存の法則に則ればゾンビも補給なしで運動機能を維持することは不可能である）、例えば10人の人間の肉や内臓を食らうことで１００体のゾンビが生き延びられるならば、それは人ゾン併存社会における最大幸福となり、むしろ人間が解体され食い尽くされることこそが理想の状況ということになります。

動物はまだしもゾンビを最大多数の構成員に含めるかどうかは議論が分かれるとは思うのですが、ただ私の意見としては、**そもそもゾンビって人間じゃないですか？**「元が人間」という意味ではなく、**今も人間**な気がするんですよ。本当に現実社会にゾンビがいた場合、人間という位置付けになるはずなんですよ彼らは。

例えば、病院で心臓が止まり、「10時25分、ご臨終です」と宣告されたタケシくんが、3分後にむくっと起き上がり「ヴアアアア〜〜〜」とわめいて走り回ったとしましょう。

その時、ゾンビ映画では「うわあタケシの死体が動いてる!!心臓が止まって死んでるのに!!タケシがゾンビになった!!」と解釈するわけですが、実際の現実の世界だったら、「あれっ？タケシが動いてる!!なんだ、**まだ生きてたのかよ!!心臓が止まってるのに生きてるなんて、これは珍しい症例だ!!**」という反応になるのではないでしょうか？

現実の医療によるゾンビの診断は、「死んでいるのに動いている死体」ではなく、**「生きているのに心臓は動いていない患者」**なはずです。**スイスイ歩き回れて自分で食事ま**

でする人（食べる物はやや奇抜だけれど）を、心音がしないからって「死んでる」と判定する医者はいないのではないでしょうか？　直立して歩き回ってる患者の死亡診断書を書く医者がこの世にいるとは思えません。

だから、現実的にはゾンビはたまたまなにかの理由で心臓が止まっている、**臨死体験によってカニバリズム（人肉食）に目覚めた生きている患者**だという診断が下るはずなのです。とすればゾンビは人間の一員として「最大多数」に含まれて当然、そしてゾンビが多数派になれば人間を食べるのもただの食事であり、それは幸福量を増す正しい行為だということになります。

しかしここで、我々は問題に直面するのです。快楽計算によりたしかに多数派のゾンビは幸せになる、社会全体の幸福度も上がる、でも、**食べられる少数の人間の苦しみは無視していいのか**という問題に。

もうちょっと現実に近づいて考えてみると、イジメなんか良い例ですね。日本の社会も功利主義に基づいて運営されている部分があるので、事実上イジメは容認されています。近年では例えば不道徳な行いをした芸能人や、町で最初に新型コロナに感染してしまった住人などが、大勢の大人たちから一斉にイジメ倒され、何万対1というすさまじい戦力差で攻撃され血祭りに上げられていました。

大人がそうやってイジメの模範を示すため、子供たちもそれをきちんと見習って、弱い者や変わった者を見つけては陰湿に虐めるようになりました。一応大人は「イジメはダメだよ」と口では言いますが、自分たちが率先してお手本を見せているのだから説得力は皆無で、子供のイジメも自殺もなくなるわけがありません。

結局、日本社会ではどう言い繕おうが実質的には「社会がイジメを容認している」んです。「イジメかっこ悪い」と言いながら大人が毎日陰湿なイジメをお披露目しているのだから。

しかしそれは、功利主義の観点では正当なあり方なのです。1人が死ぬほど苦しもうと、あるいは実際に死のうと、他大勢がイジメを楽しんで快を得られるのであれば、それは集団全体の幸福度を最大化する適切な行為なのですから。

と、いうのが、功利主義がはらむ倫理の問題です。

さて、ある意味「少数派は虐げられても仕方ない」という方向性を持つ功利主義ですが、これに反対したのが、ドイツの哲学者イマヌエル・カントです。カントの道徳観は、**人格主義**あるいはそのまま**カント主義**などと呼ばれています。

この人格主義、理想的と言えば理想的ではあるのですが、なかなか実行が難しい思想です。

どんな思想か？　その主旨は、カント曰く**「汝の意志の格率が、常に普遍的法則となるように行為せよ」**です。

ね？　実行は難しそうでしょう？　**だって意味がわからないんだから。**なに言ってるかわからない主義を実行のしようもないもんね。

こういう、作家歴17年の私ですら理解不能な文章を書くところが哲学者の悪いところなのですが……いや、悪いのは17年も作家をやっていてこの文章がわからない私の頭ではないかとも思いますが、たった今死神と取引して手に入れた特殊能力を使って翻訳してみますと（残りの寿命を半分渡しました）、**「キミは常に、誰から見ても『良い』とされる行動をしなきゃいけないよ」**です。

カントによると、人間はみな、「なにが良いことでなにが悪いことかを判断し、良い行動をしようとする理性」を共通で持っているということなのです。そして、その「本質的に良いことをしようとする理性」のことを、**実践理性**とカントは呼びました。

我々の誰もが、他人の人格を尊重し、良い行いを心がける実践理性を持っているとカントは言います。「最大幸福」とかミンチガイイ（「みんなちがって、みんないい」の略）とかじゃなくて、全員が実践理性の導きに従って普遍的な良い行動をしよう、と呼びかけるのが人格主義です。

全員が共通のモラル＝実践理性が命じる行動を取れば、相対主義のように倫理も崩壊しないし、功利主義のように少数派が犠牲になることもありません。

ただ……、なぜこの人格主義の実行が難しいかというと、純粋な善の行動というのは、時に**苦しみを伴う**からです。

またゾンビの話に戻りますが、ゾンビが美味しそうな人間を発見した時、功利主義では「多数派が幸せになるなら食べていい」となる一方、人格主義だと「少数派の人格も尊重すべきであり、人間を**食べてはいけない**」となります。カントの理論では、**「たとえどれだけお腹が空いていようが、食べられる側の人が苦しむことを考えたら、決して食べてはならない」**のです。

もちろん人間の側も、いくらゾンビが怖いからといって、**ゾンビの顔面をナイフで貫いたり、日本刀で斬首したり撃ち合いの時にゾンビを盾代わりに使ったりしてはいけない**ということになります。そんなのはゾン格、いや人格を蔑ろにする行為ですから。

ただ、そうなると、人間側はいいとしても、ゾンビはめちゃめちゃお腹が空きます。彼らの主食は人間でしょうから、実践理性を遵守し人間を食べないとなると、飢えるゾンビ続出です。

それでも食べない。たとえ自分がどんなに苦しむことになろうと、我々が本質的に持っている道徳……実践理性に従おう、というのが人格主義です。誰にも見られていなくとも、公共の場所ではマナーを守る。ゴミは必ず持ち帰る。どんなに子供が聞き分けが悪くても頭をはたかない。自分が撃たれそうになってもゾンビを盾にしない。むしろゾンビが顔面を刺されそうになっていたら、**自分がゾンビの盾になる。**その場に飛び込み、**ゾンビを守って自分がナイフを食らう。**顔面に。

そのように断固として道徳的な善を追求するのが、カントの考える人格主義の世界です。

実践理性というのは非常にシンプルで教科書的な道徳のことで、「幼児がママやパパから教わるような初歩的な道徳」と表現することもできます。

ただカントの教えは極端で、「自分が飢えても人を食うな」というのもそうですが(カントはゾンビの話はしてないけど)、もうひとつ極端な例を挙げると、**「人間は絶対に嘘をついてはいけない」**ということもカントは主張しています。「正直であれ」という道徳の根本に我々は決して逆らってはならないと。

彼の主張が独特なのは、実践理性に従いさえすれば、**結果がどうなるかはまったく気にしない**という点です。とにかく「どんな時にも嘘をつくな」という道徳に従うこととそが我々の義務、それだけはなにがあっても厳守せよと。たとえそれによって好ましくない事態が生じようと、義務に準じた結果なのだから仕方がないのだと。

しかし……、これもやはり、現実社会で遵守するのは相当に難しいと思います。難しいというか、私が解説しておいてなんですが、ぶっちゃけちょっと無理があるなと。

だって、「結果がどうなろうと、どんな場面でも正直に喋る」なんてことをしていたら、人間関係めちゃくちゃになりませんか?

私はバックパッカー時代、たまに海外で現地のお宅に招かれて、食事をご馳走になることがありました。北アフリカや中東などのイスラム圏の人々が特に優しかったですね。たまたま電車で隣の席だったとか、あるいは家の前を通りかかったというだけで「ハロー、おまえはなに人だ? ジャパニーズ? カモン、メシでも食って行けよ!」と、唐突にお呼びがかかるということがよくありました。

そういう誘いを受けると私は、ああ面倒くさ……いや「あらまあなんて親切な方たちなのでしょう☆ うっ、嬉しいっ(汗)」とハッピーな気分で家にお邪魔し、ご家族と一緒に大皿料理を囲んでつつきながら食べたりします。

もちろんご馳走になったら私は、「すっごく美味しかったです!」と感想を伝えます。

実際は味覚がどういう反応をしていようと、人様から食事を出していただいたらリアクションは「美味しかったです！」一択です。それでみんなハッピーになれるんですから。
ところが、そこでカントは「絶対に嘘をつくな、どんな場面でも正直であれ」と言うのです。

なんですか？　じゃあ私は、アフリカの辺境で真心のこもった食事をいただいて、「うわっ**まっず!!!　ごめん、堪忍やけどこれはウチの口には合わへんわ……ちょおっと食えたもんやないでこれ？　どう逆立ちしたって新世界の串カツの方が美味いやろっ！　ほんでご家族のみなさん、手の衛生面は大丈夫なんやろかっ!?　素手でおかず掴んでワイに分けてくれはりますけどっ!!　さっきその手で赤子を抱っこしとったよねそちらさん!?　床をハイハイ這いずり回る赤子を抱き上げてそのまま洗わずの手でワイに直掴みおかずをくれてはりますけど!!　あぐっ、もう露骨に泥ついてるしこのパン!!!　いやっ汚い!!　食べたないっ(涙)!!　もう帰らせてっっ(号泣)!!!」**

と、正直に言わなきゃいけないんでしょうか私は？（そんなこと思ってたのかこいつは）

どんな空気になりますそんなこと言ったら？

私には無理ですよ。家に招いてごはんまで出してくれた人に、そんな失礼なこと言えるわけがありません。私の実践理性は「絶対に嘘をつくな」ではなく、「ご馳走していただいたら笑顔で美味しいと言え。たとえ嘘でも」と私を導きますから。私の道徳では、**「人を傷つけないために嘘をつくのはあり」**なんですよ。そして泥のついてるパンを食べるんです。食べたかないけど。

多分、読者の方でも人間のみなさんはだいたいそういうモットーで生きているんじゃないでしょうか？

逆に私の側がそういう気の使われ方をされることもありますよ。

例えば私はここ数年、女性をごはんに誘うと必ず「今の時期会食は控えたいので、**コロナが終わったら行きましょうね～♪**」と返答されます。２０２３年に新型コロナの分類が格下げされた後でも言われ続けています。

これだって、人を傷つけないための優しい嘘なんじゃないでしょうか？「コロナが終わったら行こうね」と言われれば、私は「そうか、別に断られているわけじゃないんだな。彼女たちは感染対策に熱心なだけなんだな。じゃあコロナがなくなるまで待とうっと！」と、向こう50年くらい(死ぬまで)は希望を持って過ごすことができます。

これがもし相手の女性がカント主義を採用していて嘘をつけず、**「いや誰がおのれとメシなんか行くかっ!!!　もうとっくにコロナなんて忘れて合コン三昧会食**

三昧やけど、オドレと2人でなんて会いたないんじゃっ!! ワレと向かい合ってアワビのステーキ食うくらいなら松潤(マツジュン)の画像見ながらもやし食った方が100倍美味じゃっ!!!」

とか、一切包み隠さない本気の返信が来てしまったら、私はショックで気がふれて相手の職場に乗り込んで殺人クラスターでも引き起こしかねません。

やっぱり、そこは全部バカ正直に言うのではなく、オブラートに包んだ言い方をするのが大人ってものですよね。……まあ、今くらいの内容だったら、オブラートで和らぐ毒量(どくりょう)なんて**誤差の範囲**ですけど。1枚のオブラートでは99%のトゲは貫通して刺さって来ます。数百枚のオブラートで包んでもらい、ようやく「コロナが終わったらね〜♪」となりました(涙)。

あと今さらですが、**アフリカの料理は普通に美味しいですから。**ほんとに。さっきのは妄想創作エピソードでした。私も関西人じゃないですし。

さて、相対主義も功利主義もやや倫理的な問題をはらみ、人格主義は実際の運用が困難となれば、では他にはどのような選択肢があるのか?

それでは次の章では、簡単なようで実は奥が深い「利己主義」について取り上げてみたいと思います。

4. 利己主義

カントの言う「いつ何時でも正直であれ」「自分が飢えようとも道徳を守れ」の思想を貫くのは、理想ではあるかもしれないけれど、現実的には無理があります。人間、理想だけでは生きられないのですから。

正直なところ、人間というのは道徳を守るために生きているわけではなく、ほとんどの人は**「少しでも多くの快を感じながら生きる」**ことを目的としているのではないでしょうか？　おそらく、生き物としての本能はそちらだと思います。

であるならば、むしろ道徳など捨て去って、「快の追求」のためにとことん利己的に行動することこそが生物としての自然な行動なのではないでしょうか？　我々が生きる目的が快の追求なのだとすれば、余計なことをごちゃごちゃ考える功利主義でも人格主義でもなく、自分の快のみに忠実に生きる**利己主義**こそが、我々にはもっとも適した思想なのではないでしょうか。

そもそも、我々人間は、**すでに全員利己主義的に生きている**のです。

利己主義と対になる思想に、「人のために行動しよう」という「利他主義」があります。一般的には利己主義よりも利他主義を採用することが人の道として正しいと思われがちですが、実は、厳密に言えば「利己主義か利他主義かを選ぶ」ということは不可能なんです。

なぜなら、もう我々は全員、利己的に生きているから。ある意味我々は生まれてから死ぬまで、ずっと「利己主義を選んだ状態」にあるのです。この世界に利己的に生きていない人はいません。**「利他的な行動をしている人」**はたしかにいますが、それは「利他的な行動をしている人」を受ける他人がいるという結果」から「行動が利他的」になっているだけで、**その行動の動力は利己主義**なんですよ。

例えば前章のエピソードで、私を家に招いてご馳走してくれたアフリカの人たち。あの人々の振る舞いは一見、旅人である私……見ず知らずの他人のための無私の行為に感じられますが、彼らの信仰するイスラム教のコーランには、「旅人をもてなしなさい」「弱者には施しをしなさい」という教えがあるんです。

そしてコーランの教えを守ることは、イスラム教の人たちにとっては「来世への利益」

に繋がる行為なんです。現世で徳を積んだ信徒には来世の至福が約束されることになっていますから。つまり彼らにとって、**弱者や旅人に施すことは他人のためではあるが、他人のためになることをするのは自分のため**なんですよね。

もしかしたら、彼らの家の前を「400戦無敗」の不敗神話を持つ最強の格闘家ヒクソン・グレイシーが通っても、彼らは施しをしないかもしれません。だって強者に施しても徳ポイントの可算はなさそうですから。でも通りかかったのが受験戦争や恋の駆け引き、本の売り上げ競争など人生のあらゆる勝負において負け続けた、**400戦無勝**(むしょう)という伝説の不勝神話(ふしょうしんわ)を打ち立てた弱者中の弱者(私だよ)だったから、彼らは私を招いて施してくれたのではないでしょうか。「旅人をもてなせ」「弱者に施せ」という教義を達成したいと常日頃願っている時に**旅をしてる弱者がやって来た**のですから、彼らからは鴨が葱を背負って歩いて来たように見えていたのかもしれません。**このボーナスチャンス、レア弱者を逃してなるものかと。**貧弱な旅人って滅多にお目にかかれないですからね。

もちろんそれだけの理由ではなく、単純に彼らが優しい人だったからとか(それは間違いないです)、外国人が珍しいのでよく見てみたいとか話してみたいとか、他の動機もあったと思いますよ。

ただいろいろ含め、彼らは「私に親切にしてくれた」ことは紛れもなく事実なのだけど、それが自分たちの利益を度外視した純粋に自己犠牲的な行為なのかというと、そこまでではないのです。彼らの行為には、徳が積めそうとか好奇心を満たしたいとか彼らなりの「これをやったらこんないいこと(快)が起こりそうだからやる」という利己的な動機があるんですよね。それを利己的と表現するのは抵抗あるかもしれませんが、「己を利する」という意味合いでは紛れもなく利己的です。

だからと言って彼らに対する私の感謝が薄まるわけではないですよ。私は彼らの行為に対して感謝するわけですから。

そしてこれも逆の立場、私が施す側に回っても同じです。

私は旅行中に、手がなかったり足がなかったり裸で路上に転がったりしている物乞いの方を見かけると、わりとお金を渡しがちです。シワシワのおばあちゃんが誰も欲しくなさそうな花を売り歩いていたりすると、欲しくはないが買ってしまいがちです。

これも、自分を祭り上げる方で考えると、「恵まれない人々に施しをするなんて、俺って利他的で心の美しい人間だなあ。俺……すごい！　聖人！　君子！　**救世主!!**」と、自らを利他主義の賢者だと誉めそやすことができます。

ところが、そこで「なぜ自分はお金を渡したのか？」を突き詰めて考えてみると、やっぱりそれは自分の快のためなんですよ。つまり正直に白状すると私は、「恵まれない人に施しをするなんて、俺すごい！　聖人！　君子！　**救世主!!**」と**自画自賛して気持ち良くなりたいために小銭を払っていた**んです。

もしも、路上に転がる手足のない物乞いの人を見て「か、かわいそう」と思いながらも(かわいそうと思っていいかどうかという論点もあるでしょうが私は思います)、そこで見て見ぬフリをして通り過ぎてしまったら、私は「ああ俺は、手がない状態で物乞いをして生きている人に小銭も分けてあげられない卑しい人間だったのか……」と、2、3日悶々とすることになります。

でもそこで立ち止まって彼らにお金を渡しておけば、たった数十円の支払いで、2、3日の悶々が**「俺すごい！　聖人！　君子！　救世主!!」**の満足に変わるんです。数日間の「俺偉い！」といううぬぼれが、たったの100円以下で得られるんですよ？　**すごいコスパ良くないですか？(極めて卑しい発想)**

恵まれない人にお金を渡すというのは行為そのものはたしかに利他的ですが、やはり動機は利己的なんですよね。

山形県のいくつかのお寺には、「即身仏」という、座禅を組んだ形のままミイラになっているお坊さんがいます。主に江戸時代に入定(にゅうじょう)(死去)された方たちなのですが、なぜそんなことになっているかというと、「自分は死してなお衆生（しゅじょう）を救済するため祈り続けたい」と願ったお坊様が、すさまじい修行と断食を決行し、お経を唱えた姿勢のまま衰弱してミイラになったそうです。

当時は飢饉や疫病の流行で多くの民が苦しんでいたそうで、その人々を救うために自らの命を投げ出した即身仏は利他的精神の塊であると思われるのですが、その仏様がいるお寺のご住職にお話を伺ったところ、「なぜ彼らが即身仏になったのかというと、つまるところ、**『自分がやりたいと思ったからやった』、それ以上でもそれ以下でもないのですよ**」ということを仰っていました。人々を救うために自分の命を捨てる行為さえ、言ってしまえば利己主義的な動機を含んでいるんです。

まあそれが利己主義だと言うのなら利己主義で全然いいじゃん、ということになりそうですが、ともあれこの世には残念ながら、「純粋に利他的な動機のみにより生じる行動」というのは存在しないのですよ。「この人を助ける（楽しませる）ことが自分にとっても快である」という己を利する状況があるからこそ人は動くのであり、人が人である以上は、誰もが利己主義の支配からは逃れられないんです。

ガンジーやマザー・テレサだって、いやガンジーやマザー・テレサこそ、「自分はこれを成し遂げたいんだ!!」という己の欲求に貪欲に従ったからこそ、大きなことを成し遂げられたのではないでしょうか。もちろんそれによって偉人たちの偉業の価値が下がるわけではないのですけどね。

ただ一方で、そういう「利己的なきっかけでも人のためになる行動」に対して、**「利己的な動機から発し、結果も利己的な行為」**というのもまた存在します。俗に「わがまま」「ジコチュー」などと呼ばれるものです。

こちらの方の「動機も結果もただの利己」という利己主義は、さすがに人生の指針として採用する価値はないと思われるかもしれません。ところが、このジコチュー利己主義も、それはそれで思想として肯定できる部分もあったりするのです。

こちらの利己主義が肯定される理由、そのひとつは、**人が自己中心的でなかったら、社会は発展しない**というもの。

これは経済学者アダム・スミスがすっきり書き表していて、「我々が日々の食事にありつけるのは、肉屋や酒屋やパン屋がみんな良い人だからではなく、むしろ彼らが自分の利益の追求に貪欲だからである」というものです。

我々は近所にコンビニやスーパーや床屋さんやマッサージ屋さんがあって便利だなと感じますが、彼らは別に「近所の人々のために無償で食べ物を配り、無償で散髪とマッサージをしてあげよう」と無私の精神から店を構えたわけではありません。むしろ大半は、**「俺が儲かるために、客が取れそうな地域で商売を始めてやろう」**と利己的な思いで開業したはずです。

でもそうして「自分こそが儲けてやろう」と人々が利己的に行動することによって、物が無い地域に商品が供給されるし、利己的と利己的がぶつかれば競争が生まれ産業は発展し価格は安定し、我々は大きな恩恵を受けることができるのです。

さらに、お金儲けの欲望よりもずっとジコチュー度が強い、例えば「禁煙の場所でタバコを吸う」「夜中に大音量で音楽を流す」「セクハラする」「パワハラする」「人の物を盗む」のような、社会に貢献する要素の一切ない圧倒的なジコチューすら肯定されるような論もあります。

それが、**「我々は人生体験ゲームをプレイしているだけかもしれない説」**です。急に話がSFチックになりますが、アメリカの哲学者ヒラリー・パトナムによる「水槽の脳」の思考実験などが知られています。

我々は現実を現実だと思っていますが、実は我々が現実だと信じている世界はVRのような仮想現実であり、本当の私は人間ですらなく、**どこかの研究室の水槽に入れられたただの脳細胞の塊かもしれない**というのがこの説の主旨です。その脳にコードを刺し、

我々は人生体験ゲームをプレイしているだけ？

我々（の意識）は人生体験ゲームをプレイさせられているだけなのだと。

近頃のＶＲって、とんでもない進化を遂げていますよね？

僭越ながら、私のＶＲ体験談をちょっと挟ませてください。

私、有名な「ビルの屋上から突き出た１本橋を歩く」というＶＲを体験してみたことがあるのですが、あれ、もうほぼ**現実そのもの**なんですよね。屋上の端っこから飛び出た長さ５ｍくらいの板、その先っちょでうずくまっているネコを板を渡って助けに（拾いに）行かなきゃいけないのですが、３６０度広がる高所の映像があまりにリアルすぎて、私は橋の手前に立ったまま、怖くて最初の１歩も踏み出せませんでした。

あまりに現実すぎて、「運動神経の鈍い私（サッカーボールを蹴ろうとすると2回に1回はボールに乗っかっちゃってゴロンと横転する悲痛な神経の私）のような者がネコを救出に行ったら自分も落下して二次被害を生む恐れがあります、そこで、

1．私のような素人ではなく、高所作業に慣れたレスキュー隊を呼びネコの救助を要請する
2．巨大な網のような用具を使い、ネコに悟られない規模で大きく覆って回収する
3．ネコの好みを考慮して複数の味のちゅ～るを屋上側に並べ、空腹になったネコの方から戻って来るよう待つ
4．板の根元をなるべく振動が伝わらないよう時間をかけて切断、板ごとネコを回収する

などの策を講じてみるのは如何でしょう？」と思わずスタッフさんに提案しそうになったほどです。

私は勇気が服を着て歩いているような男なので結局リタイアしましたが（退くのも勇気なのである）、しかし臆病な他のお客さんは退くに退けず、ギャーギャーと絶叫しながら板を歩いていました。本当は地上0mなのにそんなビクビクして……みっともないなあ……。

つまり今時のＶＲは、もうただの映像ではなく、人間が現実として受け止めて命を惜しんでしまうほどの「おおむね現実」なんですよね。

そして、ひょっとしたら、**我々が現実世界だと思っている日常も、実はすべてがＶＲのような仮想空間かもしれない**のです。我々は実は人間ですらなくどこかの研究室に置かれた単体の脳で、一度始めたら仮想人生が終わるまで現実を思い出せない、新製品の「人生体験ゲーム」をプレイしているだけなのかもしれないのです。

そして、もしこの現実が人生体験ゲームなのであれば、**他人のことなど配慮せず徹底的に利己主義的に振る舞ってもなんら問題はない**ということになります。禁煙ルールを破ろうがご近所に迷惑をかけようがセクハラしようが人の首を絞めようが、なんら罪悪感を持つ必要はありません。

だってゲームならば、プレイヤーが楽しむことだけがすべてなのですから。プレイステーションで「三國志」を遊ぶ時に、「隣の陶謙(とうけん)、激弱(げきよわ)だから攻め込んじゃいたいけどでも、陶謙にも家庭があるしな……」とか、「火刑なんて仕掛けたら敵兵は熱いだろうし、家が焼けて路頭に迷う領民の迷惑を考えたらとてもそんなことは……」とか他のキャラクターに気を使っていたら、まったく話が進みません。ゲームの中では邪知暴虐(じゃちぼうぎゃく)の王となりどんどん隣国を攻め、同盟しては破り同盟しては破り、裏切りを重ね敵兵は焼き払い君主は首を刎ね他国を蹂躙していくことこそがシミュレーションゲームの醍醐味ではないですか。まあ私はゲームには疎いので細かいことはよくわからないですけど……。

仮に今の人生が終わった直後に、「実はキミは研究室で培養されている、ただの脳だったんだよーん。今までただ『地球人なりきりゲーム』をプレイしていただけで、さっきまでのキミの人生も、周りの人間もみんな仮想現実だったんだよーん」と種明かしをされたとしたら、**「くそっ!! なんだよ!! それなら謙虚さとか思いやりとか持たずもっと好き放題生きりゃよかった!! 裏切りとかピーー(自粛)とかピーー(自粛)とかピーーーーーーーーー(自粛)とか、めちゃくちゃやってやればよかった!!!」**なんて激しく後悔することになるかもしれません。さらに加えて、**「いやゲームならもっといい主人公選択させてくれよっ!! トム・クルーズとかアレキサンダー大王とか、もっとプレイして楽しい人生あっただろうがよ!!! なんでインフレと腰痛と介護に苦しんで最後は孤独死でバッドエンディングになるような鬱キャラをプレイさせたんだよこのカス博士!!!」**と怒り狂いもするでしょう(涙)。

まあ、可能性は低くはありますが、この世界がただの仮想現実であるケースも完全に否定できるものではないので、**その可能性に賭けて徹底した利己主義に生きてみる**というのも、ひとつの選択肢ではあると言えます。大丈夫、たとえそれで逮捕や懲役となっても、それもまた**バーチャル逮捕、バーチャル懲役**かもしれないのですから。本当の現実ではないので問題ありません。

まあバーチャル逮捕だとしても、バーチャル前科がついてバーチャル出所の後はバーチャル不採用が続き、バーチャルの世界の中ではとても生きづらくなるでしょうけどね……。

5.
利他主義

前章では、どちらかと言えば利己主義を肯定する方向で話を進めました。

我々の行動は強制されたものでない限りすべて利己的な動機からスタートするし、そもそもこの世界が仮想現実だという可能性すらあるんです。

この本だって、本当に人間が書いているのかわかったものではないですよ？　あなたが今見ているのは著者の姿ではなく、ただの白黒の活字でしかないのですから。著者の「さくら剛」が本当にこの世に存在する人間なのかどうか、誰がわかりますか？

もう今時、この本程度の文章ならＡＩで10分もあれば作れそうですからね。私が腰痛でヒーヒー言いながら半年かけて書く本も、ＡＩなら経費ゼロで10分で書けるんですよ。

ＡＩの即時撤廃を求める!!!　誰かＡＩに感染する新型ウイルスを作ってくれ!!　致死率300％のやつ!!　致死率300％でなおかつ基本再生産数2

000万のやつ(インフルエンザの1000万倍感染しやすいやつ)!!!

まあ実のところ……、そうなんですよ。実はこの本を書いてるの、**AIなんですよ。**

最近のAIはいよいよこんな格調低い原稿まで書けるようになったんです。だから、「つまらん本書くな！」とか文句言っても無駄ですよ。機械に感情なんてないんだから。いつもブックレビューでボロクソ悪口書かれるけど、感情がないAIの誹謗中傷なんてしても無意味だからね。ちっともこたえないんだからこっちは。**だからやめてよねそういうことはっ(泣)!!!**

まあともかく、みなさんからすれば私が人間であるかどうかすらわからないのと同じで、結局この世界は「自分の存在以外はなにもかもバーチャル(仮想現実)かもしれない」んですよ。それなら、本当に存在するのかもわからない他人になど気を使わず、とことんジコチューを貫くというのも生き方のひとつです。

ただ、ここでもう少し考えてみたいと思います。

利己主義と対になる思想に、**利他主義**があります。言うまでもなく、「自分中心ではなく、他人を喜ばせたり他人に利益を与えるような行動を心がける」思想が利他主義です。

人はみな利己的であるので厳密に言えば利他主義は利己主義の中のいちパートと考え

られますが、厳密に言うと話がややこしくなるので、この章ではいったん「世間一般で言うところの利己主義と利他主義」を単純にイメージしてください。

利己主義と利他主義では、どちらが得なのでしょうか？

いやいや、この世界はただの人生体験ゲームかもしれないんだし、そもそも「利己」という文字からして己に利がある利己主義の方が得に決まってるでしょう。

という、単純な話でもなかったりするんですよ。

ここで前章の、「物乞いにお金をあげる」という行為を振り返ってみたいと思います。

物乞いさんと対面した時、自分の得だけを考えるならば、「お金なんてあげない」というのが正解の行動でしょう。だってお金を恵むのはただ「自分のお金が減る」だけの行為なわけですから、金銭の収支としては損でしかありません。

ところが他方で、私は物乞いさんに小銭を渡すことによって、「俺って偉いなあ。優しいなあ。ハンサムだなあ！」と、自らを自画自賛し、うぬぼれることができました。少し洒落た言葉で表現すると、**「自己肯定感」**を得ることができたのです。

物乞いにたった50円あげたくらいで「偉いなあ、優しいなあ」とうぬぼれるのはだいぶ水増し、「ハンサムだなあ」に至っては完全な**ねつ造**の域に達していますが、私の実践理性は「人が喜ぶ嘘ならついてＯＫ」と言っているのでいいんです。私だって人なんだから。なんでも言い続けたら本当になるかもしれないし。

この「俺って優しいなあ」と悦に入る自己肯定感って、紛れもない「得」なんですよ。これを「そんな自己満足、1円にもならないだろ！　それなら50円をケチった方が得だよ！」なんて言っていたら、人生トータルで数億円損することもあるレベルで実は自己肯定感って得を生むんです。

ここで、日本社会に存在する、非常に残酷な法則を紹介したいと思います。

それは、**4月生まれの人は3月生まれに比べて2倍くらい成功しやすいの法則**です。

専門的には「相対年齢効果」というんですが、例えばJリーグでは、誕生月が「1月から3月」の選手が全体の16％なのに対し、「4月から6月」の選手は33％と、2倍の差がついています。プロ野球選手も1〜3月生まれが16％で4〜6月生まれは31％、Jリーグとほぼ同じ比率です(Jリーグ、プロ野球ともに2011年時点のデータ)。

日本人全体の出生数はどの月も大体同じなので、つまり、年度の最初の方(4月〜)に生まれた人は、後ろ(〜3月)に生まれた人よりも社会で成功する確率がずっと高いということになるんです。

学力の分野でも同じで、いくつかの進学校で生徒の生まれ月を調査したところ、年度の最初3ヶ月と後ろ3ヶ月で生徒数に1・5倍の差があったといいます。

これ、幼稚園児や小学生ならまだ納得感あると思うんですよ。例えば幼稚園(3年制)入園時の年齢を考えると、4月生まれの子は「3歳と11ヶ月で入園」に対して3月生まれの子は「3歳と0ヶ月で入園」です。月数で表すとそれぞれ47ヶ月と36ヶ月なので、4月の子と3月の子は人生を生きて来た比率が47：36。つまり、大人で換算すると**47歳の人と36歳の人くらいの人生経験の差がある**わけです。同学年なのにですよ？

47歳のおっさんと36歳のおっさんであれば、「11年多い人生経験」と「11年若い心身の頑強さ」を比べて人間力勝負はトントンな気もしますが、これがちびっ子、**人間として心も体も爆発的に成長する時期である幼児の47ヶ月と36ヶ月の差**は、36ヶ月側にはとんでもないハンディキャップになるんです。4月の子は3月の子より3割も長く人生をこなしているんですから。

そういう物理的な「生きて来た長さの差(つまり頭や体を鍛えて来た期間の差)」があるがために、もちろん個人差はあるものの全体の傾向としては、4月生まれと3月生まれでは体力知力ともに4月生まれが圧倒的優勢になるのです。

ただ、幼い時はそうだとしても、それがなぜ大人のJリーガーや野球選手にまで影響を及ぼしているのか？　47ヶ月と36ヶ月ならわかるが、「20歳と11ヶ月」と「20歳と0ヶ月」ならたいした違いはなさそうなのに……。

となった時、ここで鍵を握るのが自己肯定感なんです。

例えば小学生ならば、平均すれば4月生まれの子の方が、3月生まれの子よりずっとサッカーが上手にできるでしょう。なにしろ人間としての経験値が3割も違うのですから。

となると、4月生まれの子は「四郎くん、サッカー上手だね〜！」と、先生や親や友達から褒められるんです。現に試合をやれば自分が一番足も速いし得点も決められる。そこで、四郎くんには**「俺はサッカーが誰よりもうまいんだ！」という自己肯定感が発生**します。

すると結果として、四郎くんは**サッカーが好きになる**んですよ。

勉強もそうです。平均すれば4月生まれの子は3月生まれの子より知能が発達しているので、4月の子は「四郎くん、勉強できて偉いね〜！」と先生や親や友達から褒められます。現にテストを受ければ自分が一番点数が高い。そこで、四郎くんには**「俺は頭が誰よりもいいんだ〜！」という自己肯定感が発生**します。すると結果として、四郎くんは**勉強が好きになる**んですよ。

運動にしろ勉強にしろ、一度好きになればあとはほぼエスカレーター式です。ほっといても勝手に進んで行きますから。モチベーションがあるものに対して、人は猛烈な成長力を発揮するものです。

なお、ひとたびサッカーや勉強が好きになり、好き→上達→自己肯定→好き→上達→自己肯定の過程を重ねると、多くの場合はもっと上達する環境が与えられることになります。「この子に好きなことをさせてあげたい」「この子には才能があるかも」と思った親がサッカースクールや有名学習塾に入れてくれるなど、さらに才能を伸ばす投資がなされるのです。

では、一方で、3月生まれはどうなるか?

これはあくまで典型的な例を挙げているものであり、決して全員に適用されるパターンではないということは一応お断りしておきますが。

例えば小学生ならば、3月生まれの子は4月生まれの子より、**ずっとサッカーが下手**なわけです。3月生まれの三郎くんは足が遅いし試合でも活躍できないし先生や友達からは褒められるどころか**「あの子、下手だよね」**と、口には出さずとも**口ほどに物を言う目で**見られます。

そこで、三郎くんには**「俺はサッカーが誰よりも下手なんだ……」**という**自己否定感**が発生します。

すると結果として、**三郎くんはサッカーが嫌いになる**んです。

一度嫌いになれば、あとはほぼエスカレーター式(下り)です。ほっといたら彼は一生サッカーボールに触れようともせず、「どうせ俺は運動できねえし」と、卑屈に運動を避け続ける人生を歩むことになるのです……。

それは野球をやっても同じ。勉強をしても同じです。そして「この子が嫌がることはさせたくない」「この子には才能がないのかも」と思った親御さんは三郎くんをサッカースクールや有名学習塾に入れることはなく、環境の投資は一切なされません(涙)。

このような流れを想像すれば、Jリーガーやプロ野球選手には4月生まれが圧倒的に多いという事象もなるほどと納得していただけるのではないでしょうか?

余談ですが、ここまでこの本を読んでみなさん、この私は何月生まれだと思いますか? この文章を書いているさくら剛は、何月に生まれたでしょうか?

……そうです。**正解! 3月生まれです。**

ですよね〜〜。**どう見たって3月生まれですよね〜〜。**この卑屈さはどう考えたって3月生まれでしょう。私が4月生まれに見えますか? ええっ? **4月生まれだったらもっと自己顕示まる出しの高飛車な自己啓発本でも書いてるから!! こんなジトジトした文章書く4月生まれがいるわけないでしょっ!!!**

そう、私も見事に、「子供の頃サッカーができなくて自己否定して運動から一切遠ざかる」の定石ルートを歩んで来た3月生まれです。

おかげで今では、近所の子供がサッカーをしている横を通るのも怖くてたまりません。「あのボールがこっちに飛んで来たらどうしよう……」と思うと怖くて怖くて……。万が一ボールがコロコロコロと転がって来て、それを私が蹴り返してあげようとしたらボールに乗っかっちゃってゴロンと横転して地面に頭を打って失神、あるいは蹴ろうとして空振りして「あ、ごめんごめん(焦)」と慌てふためいてボールを追いかけたら側溝に落ちる、あるいはボールを追いかけてうっかり道路に飛び出しちゃって10tトラックにはねられて子供たちの目の前で手足がもぎ取られたバラバラ死体になる、そんなことに、**俺だったらマジでなりかねない!!**

という想像が頭をよぎって、**ボールで遊んでいる子供の近くを通るのが怖くてたまらないんです(涙)。**それくらい運動がダメなんです。一時期奮起してジムに通い始めたら、ランニングマシーンの上で横転して床に放り出されて恥ずかしくてすぐ退会しちゃったし……悔しい……(泣)。

まあそんなわけで、どうでしょう? 「人生の早い段階で自己肯定感を得る」ということが、どれだけ重要なことか、わかっていただけたのではないでしょうか?

自己肯定感というのは、人生をまるごと変えてしまうほどのパワーがあるんです。「自己肯定感のおかげでJリーガーになれた人」となれなかった人の間では、生涯年収は億単位で違うかもしれません。自己肯定感はただ「精神的に満足する」というだけではなく、莫大な金銭的利益まで生み出す可能性があるのです。

ここで話を戻しますが、「利他的な行動をする」というのは、まさに自己肯定感を生む行為なんです。大人になったら勉強やスポーツで自分を差別化するのは難しいですが、「人に親切にして自己肯定感を得る」ということなら子供から老人まで誰にでもできます。しかもたった5分でできる！　超簡単！

そして人の役に立つことで「自分すごい、優しい！　偉い！」とうぬぼれれば、**「自分は優しくて偉いのだから次も人に優しくしよう」**と、それがさらなる利他的な行動に繋がるんです。人というのは「自分が思い込んでいる自分のキャラクター」の通りに振る舞うものですから。

そして利他的な行動を続けていれば、周りからの評価も高くなるし、そういう人の周りには人が集まって来ます。人に好かれて仲間が増えれば、当然精神的・物理的に「得」は大きく増えるでしょう。反対に、少しの利を惜しんで自己中心的に生きていると、人が離れて行き大損することになります。若い時は多少わがままでも1人で生きていけますが、歳を取るごとに本当にその損を実感するようになりますから。

となれば、自分がなるべくたくさん利を得たい、**利己主義を追求したいからこそ、そのためには利他主義になるべきだ**という考え方ができるんです。利己的に生きたい人が、最終的にもっとも己が得する方法が実は利他的に行動することだったりするのです。

「この世界は所詮VR人生体験ゲームなのだ」という考え方もあるんですが、でも今の人生がただのゲームなのだったとしても、ゲームの中とはいえ、得が多くて好かれる人生の方が良くないですか？　現実かと勘違いするほどのリアルなゲームだからこそ、その中でもいい思いをしたいじゃないですか。

自分はいったい今回の人生をどういうふうにプレイしたいのか？　どんなアバターとして自分は周囲のプレイヤーから認識されたいのか。たとえこの世界が仮想現実だったとしても、それを考えることには意義があるのです。

Chapter 2

組織

◎身勝手な集団をどうまとめるか

プロローグ

チャプター1では、主に「日々を良く生きるために我々一人一人が選択可能な主義」について解説をしました。

ここからのチャプターで紹介するのは、「社会や組織を良く運営するために選ばれる主義たち」です。「社会主義」「資本主義」「自由主義」「民主主義」、さらに民主主義から生まれる「ポピュリズム（大衆迎合主義）」について。

これらは主に政治や経済に関する方向性を決める思想（仕組み）であり、我々いち個人がどうこうできるものではありません。

ただ個人がどうこうできるものではない主義を学ぶことも、それはそれで重要なのです。

社会主義と資本主義の対立は「平等を優先すべきか？　それとも自由を優先すべき

か？」というテーマに集約できますし、自由主義と民主主義では「自由はどこまでの範囲で許されるべきか？　集団の中で各個人の意思はどこまで尊重するべきか？」について考えることになります。そしてそれらは、他のあらゆる集団・組織の運営においても共通する課題です。

みなさんも、人生の中で大なり小なり組織やグループのリーダーの役割を担う機会はあるはずです。社長さんや店長さん、先生にキャプテンに教祖に道場長に学級委員長に大家族のビッグダディ、座長や課長や酋長やバイトリーダー、長でなくとも年長者ならリーダーを補佐して一緒に組織の方向性を決める場面はあるでしょう。

そのような時に、「平等と自由の優先順位」や「自由の範囲」、あるいは「個人と集団の意見のバランス」についてよく検討しなければならないのは学校のクラスも国家運営も同じです。複数の人が集まるグループはある意味国家の縮図であるし、複数の人が集まるグループの拡大版が国家なのですから。

国のような大きな組織の方針は私たち個人で動かせるものではありませんが、幸い、日本には選挙制度があります。幸い日本は民主主義国家であり、不幸にして日本は民主主義国家でもあります。

一人一人の票は小さなものですが、それがたくさん集まれば、国家の制度をも変えられるのが民主主義です。優れた民により優れた国家が作られるのも、愚民によって国が滅びるのも同じ民主主義です。

あなたが現在および将来率いる組織をどのように運営するべきなのか、そのヒントがこれからの章で提示できたらと思います。

6. 社会主義①

社会主義というのは、「平等を最優先する経済の仕組み」です。

「万学の祖」と呼ばれた哲学者アリストテレスは、**「正義とは、平等が実現されている状態である」**と述べました。

平等がいかに大事かということは、我々日本人もみな子供の頃から刷り込まれて育っています。例えばアニメのドラえもんで、先天的な腕力や財力を持つジャイアン&スネ夫が持たざるのび太をいじめると、ドラえもんがひみつ道具を出して「子供たちの関係の平等化」を図ります。あるいは時代劇では、あこぎな商売で人々に不平等をもたらす悪徳商人は水戸黄門など正義のお侍に必ず懲らしめられるようになっています。

このように、「不平等は悪。平等こそ正義！」は、我々が物心ついて最初に学ぶ基本道徳のひとつと言えるでしょう。

まあ細かいツッコミを入れると、「ドラえもん」という**「うまく使えば不老不死の宇宙の王になれる機械」を野比家だけが持っている**という事実がそもそも不平等すぎますし、水戸黄門にしても「印籠」という**「良い家柄に生まれた象徴」を見せるだけで身分の低い者が全員土下座する**という、平等とはほど遠いシーンが毎回繰り広げられているわけですが……。しかし創作の話に細かいケチをつけることは私は嫌いです。そういう物語に茶々を入れるような行為には、私は作家の端くれとして断固抗議させていただきたいです。**誰だアニメや時代劇にそんな意地の悪いツッコミを入れる輩はっ!! 許さんぞっっ!!!** ※私です(涙)

ともあれ、我々は長くそのような勧善懲悪的なストーリーに親しんでいるし、日常生活においても「ケーキがあったら家族みんなで均等に切り分けて食べる」とほとんどの人は考えるでしょうから、平等の重要性は誰もが理解しているのです。職場に人数分ちょうど置かれたお土産のおまんじゅうを、1人で2個も3個も取る人がいたら顰蹙を買うでしょう。それは平等の原則に反していますから。

が、しかし。我々は長く「平等は大事だよ」という教えの下で育って来たにも関わらず、我々が住む日本社会は本当に平等な状態であるかというと、どうも現実的にそうはなっていないように感じられてなりません。

というのは、今の社会において、ケーキよりおまんじゅうより遥かに大切である「お金」が、みんなに均等に分けられているように思えないのです。

ある人はお金が余って余って仕方なく「抽選で100人にお金を配ります！」と応募者を募り、そこに何百万人という庶民が「私はこんな崇高な夢があるので100万円ください」「私はこんな同情すべき病気で苦しんでいるので100万円ください」とあることないこと理由をつけて群がる風景。ある人は「1000万円でコンビニ買い占められるか試してみたｗｗ」という豪遊企画を配信し、それを何百万人という庶民が恨めしそうに視聴する風景。

職場のおまんじゅうに例えるならば、100人の社員に100個用意されたおまんじゅうを2人の狼藉者が50個ずつ取って行き、残り98人は仕方がないので**包装紙と箱を98等分**して砂糖水に湿らせて食べて空腹を紛らわせているような、そんな不平等な状態が今の日本社会だと言えそうです。その上で狼藉者は「おまんじゅうを抽選で20人に配ります！」と懐の深い**おまんじゅう配りおじさん**を気取ってみたり、**「おまんじゅう10個一気に口に入れてみたｗｗ」**と豪遊企画を実行しそれを残りの社員が恨めしそうに見ていたりするのです。※架空の例であり、実在の人物や団体等とは一切関係ありません

もっとも、自分の商才で人よりたくさん稼ぐことは当然の権利であり、お金持ちを一

様に狼藉者呼ばわりするのは筋違いにも感じられます。が、しかし、「いや金持ちは紛れもなく狼藉者なんだ！」と、断固として考えた人物もいました。例えば、社会主義の提唱者の一人・マルクスがそうです。

マルクスは19世紀のドイツの経済学者・哲学者で、「経営者(資本家)というのは、儲けのために労働者をひどい環境で酷使したり、無計画に商売をして市場を混乱させたりする悪の存在である」と考えていました。

厳密には経営者そのものが悪いというよりは、資本主義経済の下では経営者は「悪にならざるを得ない」ため、資本主義という仕組みがそもそも狼藉者なのだというのがマルクスの主張でした。資本主義の下では必然的に、商人は悪い商人になってしまうと。

ちなみにご存知と思いますが資本主義というのは、今の日本のように「誰もが自由に商売をして良い経済制度」です。身分や学歴などに関わらず、みんな同じ土俵で商売をし、競争に参加することができる制度。

経営者が「悪にならざるを得ない」「必然的に悪になる」というのはどういうことか？という点ですが、これは正直、現代の起業家の方々を見ていても、うっすら納得できてしまう部分があります。

ちょっと命知らずなことを言いますが、**起業家の人たちの道徳観って、一般の感覚か**

らだいぶズレているように感じませんか？

特にまだ成熟していない、若い起業家さんというのは、どうも他人を「自分の事業に役立つ人間かいらない人間か」でしか見ていないという雰囲気があるのですよね。なんだか、モラルの水準が全体の平均値から少し離れたところにある。

これは私だけでなく、私の友人……例えばとんでもない人脈を誇る某出版社の編集長さんも、まったく同じことを述べていました。むしろ私よりもその編集長の方がずっと力強く述べていました。私と編集長では**1：9くらいの割合で編集長の方が頑強に述べていました。**起業家のモラルはおかしいと。**私は相づちを打っていただけです。だから異議のある起業家の方は私ではなく友人編集長の方にクレームをお寄せ下さい（スケープゴート）**。

まあしかし、我々がそう感じてしまうのは各起業家さんの個人の資質というより、まさにマルクスの言う通り、資本主義という構造が彼らをそうさせている面があるはずなのです。

例えば私の知っている若手起業家さんは、「ＰＤＣＡサイクル」「ＰＤＣＡを回す」という言葉をよく使っていました。これはざっくり言うと、「計画を立てて即行動して、反省して改善してすぐ次だ！」みたいなグイグイ行く流れのことです。ＰがPlan（計画）

でDはDo(実行)、CがCheck(評価)でAはAction(改善)だと。ビジネスの世界で生き延びるためにはこの流れを繰り返さなければいけないそうですが、私はそれを聞いて「なるほどこうして冷徹な経営者が生み出されていくのか……」と妙に感心させられたものです。

というのは、「行動がなにより大事だ！　ひとつ失敗してもすぐ次だ！」とグイグイ動くのは良いのですが、**その過程で巻き込まれてなぎ倒されていく人**が何人も出るんですよ。

その起業家さんもいろんな人に協力を仰いで事業を始め、それがうまくいかないと「ダメでした。でも失敗は成功のいち過程だ！　俺は止まらないぞ。すぐ次だ！」とまた1から計画を立てて人を集め直し、新しい挑戦を始めていました。

いや、待て待てっ、あなたは失敗を糧に前に進んでるのかもしれんが、**巻き込まれた人のことをどう思ってんねん!!　前の計画でキミを信じて時間と体を割いた人の立場はっ!!　あんたは失敗を繰り返して運転がうまくなるんだろうけど、その過程の巻き込み事故で怪我した被害者たちはほったらかしかいっ!!　そこを放っといたらあんたはひき逃げ犯やないかっ!!!**

……………。って、僕もちょっと思ったし、**友人の編集長はもうそれはそれは語気**

荒く語ってましたよ。1：99で僕より編集長の方が声を荒げて言ってました。そんなムキになることないのにって僕は思ったんですけどね。頑固だから友人編集長も……（人身御供）。

でも実際、巻き込まれた人の救済ってほとんどされないんですよね。失敗した時にちゃんと巻き込んだ人たちに仁義を切ればいいんですが、野望に燃えて突き進んでいる若手起業家にあまり細やかなフォローは期待できません。前進にこだわりすぎて、バックミラーを見失っている人が多いですから。

そして資本主義サーキットでは、あまりにデッドヒートすぎてバックミラーを確認している暇もないのですよ。途中ではね飛ばした相手をいちいち救助していたら、他の車に先にゴールテープを切られてしまいます。1人はね2人轢き、「ああしまった、10人くらい殺しちゃったけど、おかげで俺は運転がうまくなったぞ。やっぱり人は失敗を乗り越えてこそ成長するんだなあ！」と死体を蹴散らしながらゴールを切って悦に入るのが、現代の資本家ドライバーだと言えるかもしれません。もちろん全員ではなく「一部の」資本家ですよ。ただ、その「一部」の割合が、一般社会よりは目に見えて多く感じるのです。

もうひとつ印象深い例を挙げさせてください。

数年前に、誰もが知っている大起業家が新しくアイドルグループをプロデュースするというので、そのお披露目イベントを見に行ったことがあります。キラキラと目を輝かせた12名の女の子がデビューするその場で、有名起業家さんは「専用劇場も作って、英語の特訓もして国際的なアイドルグループにするぞ！」と壮大な意気込みを語っていました。

ところが、そのプロジェクトが話題になったのは最初だけで、その後特に目立った露出もなくグループの人気は低迷し、やがてメンバーは1人抜け2人抜け、気付いた時には**プロデューサーだったはずの有名起業家の名前が関連するすべての場所から消え、**さらにメンバーが**9人抜け10人抜け11人抜け、**グループは離散状態となりました。

起業家さんにとっては、このプロデュース業は人生で何百あるいは何千とあるPDCAサイクルのひとつに過ぎなかったのでしょう。「俺がアイドルを作ったら面白いかも！」と思いついてすぐ行動に移し、でもうまくいかないので「あ、これは俺には向いてなかったな」と冷静に損切りをしてまた別の新しい事業を始めたのでしょう。失敗しても過去は振り返らずすぐ次へチャレンジ、さすが、それこそが不屈の起業家マインドです。

ただね……？

いやまあ、あなたがめげずにＰＤＣＡを回すのはいいんですけどね……、**少女たちの人生はどうなるんですかね？　あなたを信じて田舎から上京したり進学を断念してアイドルに賭けた子たちの人生は？　ねぇねぇ、おっさんの「失敗を糧に前に進もう！」に巻き込まれた中学生や高校生の人生はっ!!　あんたのＰＤＣＡのために犠牲になった一度きりの青春時代はっ!!　相手もおっさんならまだしも、子供やぞっ!!!　人の夢とか人生というものをおまえはどう考えとんねん!!!　この世の人間はみんなおまえの駒かっ!!!　リアルな「現実は所詮ＶＲ人生体験ゲームに過ぎない」論者かあんたはっ!!　ＶＲ人生体験アイドルマスターシンデレラガールズをプレイ中の認識かあんたはっ!!!**

……………。

オホン（咳払い）。

まあ、**そんなわけで、**時代は違いますが、１５０年前にマルクスが主張していたのもだいたいそういうことなんですよね。

資本主義の下で起業家や経営者が利益を追求しようとしたら、非情にならざるを得ないと。非情にならなければ生き残れないのだから必然的に非情になり、その結果労働者は苦しめられると。そのような不平等の根源である資本主義は狼藉者の経済システムであると。

そこで、社会から狼藉者を廃し平等を取り戻すため、マルクスなどの思想家が資本主義に代わる経済システムとして提唱したのが、社会主義です。

章も終わりになってようやく真面目に社会主義の説明です。

資本主義の下では誰でも自由に経済活動（起業やお金儲け）を行うことができますが、対照的に社会主義では、**あらゆる生産や商売を国家が管理します。**誰しもに起業の自由を与えてしまったら、この章で例を挙げたように狼藉者が労働者を苦しめたり、無秩序な経済活動で社会が混乱したり不況が起きたりしてしまうかもしれません。タピオカ屋やからあげ屋や高級食パン屋に安易に手を出して**ブームと一緒に人生も終焉（しゅうえん）を迎える悲しい商店主**が生まれるかもしれません。

そこで、工場や田畑、人員まで含めた生産手段をすべて国の所有とし、国のトップにいる頭脳明晰なエリートたちが、どんな商売を行うか、「なにをどれくらい作るのか」や「何人雇って給料はどれだけ払うのか」など、一切合切を緻密に計画する。そしてすべての人々は、国に指示された通りに働く。

そうすれば冷酷な資本家の無謀ＰＤＣＡに巻き込まれて怪我をする者もいなくなり、タピオカ屋や白いたい焼き屋と心中する国民もいなくなり、商人同士の競争が激化して

「事務所総出でやるからね」「じゃあ法的措置を取るからね」とゴタゴタ揉めることもなくなり、安定した経済活動が実現できる。というのが、社会主義の理想モデルです。

社会主義を採用した国では、国民は全員が公務員となります。そこでは資本家と労働者、持つ者と持たざる者の格差はありません。みんなが同じように働いて、みんなが同じようにお給料をもらいます。この平等な環境こそが、アリストテレスの言う「正義が実現された社会」だと言えるのではないでしょうか?

社会主義と資本主義の話はスケールが大きく1章では収まらないため、次章に続きます。

7. 社会主義②

資本主義と社会主義の対立軸は、主に「自由を優先すべきか、平等を優先すべきか」というもので、これは国の経済政策に留まらずあらゆる集団・組織が検討すべきテーマです。

会社で言うならば、各部署や人員に自由な権限を与え、成果に応じてガンガン給料も上げる一方で業績の悪い部門は容赦なくリストラするのが資本主義。それに対し、業務内容は経営陣がすべて決め、社員は定められた仕事しかできないけれど全員が同じ給料をもらえ解雇も格差もない、という平等な仕組みが社会主義です。

会社の他にも町内会から学校から家族まで、「自由を取るか平等を取るか」というのは集団の方向性やルールを決める上でとても重要な課題となり得ます。

個人的には……、やっぱり平等の方が大事だと思うんですよね。だって、「平等が大事である」という道徳観の下で私たちはずっと育って来たから。子供の頃から「ヒーローが悪を倒して世に平等をもたらす」という物語に親しんで来たし、大人になってから私が見ている日本の社会もまた「平等を大事にする社会」です。例えば囲碁では先手が圧倒的に有利なため後手に6目半(石6・5個分)のハンデを与えるし、TBS「オールスター感謝祭」の赤坂5丁目ミニマラソンではオリンピック選手のワイナイナから一般女子グループまで段階的に6分以上ものハンデが設定されます。そうやって、社会は平等を実現させるよう努力しているんです。

もっとも隅から隅まで平等が行き渡っているわけではなく、見過ごされている隠れ不平等も世の中にはいろいろあるんですけどね。

一番私が改善して欲しいのが、**4月生まれと3月生まれの間に生じる能力的不平等**ですよ(恨みを引きずる3月生まれの私)。

「利他主義」の章で述べたように、相対年齢効果により幼年時代の4月生まれと3月生まれは囲碁でなら先手と後手、マラソンならワイナイナと一般女子芸能人くらい勉強も運動も実力差があるんです。しかしその不平等はなぜか考慮されることなく、学校では全生徒が自由に競争させられている。

そこは、赤坂5丁目ミニマラソンのように段階的なハンデをつけるべきだと私は思うんです。勉強なら部屋のモニターに 12月生まれ→ナショナルジオグラフィック 8月生まれ→お笑い番組 4月生まれ→エッチな動画 を常時流しながら勉強させるとか、サッカーなら 12月生まれ→スキニージーンズ 8月生まれ→鉄下駄 4月生まれ→中世ヨーロッパの甲冑 を身につけて試合させるとか、生まれ月による不平等を解消させるような条件をつけるべきなんですよ。**それが真に平等な教育ってものやないんかいっ!! 3月生まれの子供が負っている逆ハンデを放置するのは教育基本法第一章第四条「すべて国民は等しくその能力に応じた教育を受ける機会を与えられなければならず……(略)」の条項に反してるんじゃないんかい文部科学省ええコラっ!!!**

……………。

ヘイヤッ! ピシイッッ! ※冷静になるため自分の尻に鞭を入れました

はい。

ただ、もっと根本的なところで言えば、「条件を平等にして競争させる」よりも、**そもそも競争をさせない**ことこそが真の平等と言えるはずなのです。

自由な競争って、どうしても空気を殺伐とさせるんですよ。競争は続ければ必ず過当になるので人間関係をギクシャクさせるし、人を疲弊させるし、勝者と敗者を分断します。

もう少し組織の具体例を出して、自由と平等、資本主義と社会主義についてイメージしてみたいと思います。

前章の後半でアイドルの話が出たので、せっかくなのでそれを引き継いで「アイドルグループ」という組織で考えてみることにしましょう。とはいえ、ご存知の通り私は普段仲間とのパーティにフェスにと忙しいリア充人間なので、アイドルとかそういうのは全然詳しくないのですが……でも少ない知識を総動員して頑張って解説してみたいと思います。

知名度で言えば、今の日本で一番名前が浸透しているアイドルグループは、ＡＫＢ48ですよね。さすがにアイドルに疎い私でもＡＫＢは知っています。たしか秋葉原で活動するから、「アキバ」をアルファベットにしてＡＫＢなんですよね。

実はこのＡＫＢグループって、自由競争中心の、まさに資本主義を体現したグループなんですよ。平等ではなく、自由優先の組織です。

姉妹グループを含めれば何百人というメンバーがいる中で、新曲の発売時にメディアやＭＶ(ミュージック・ビデオ)でパフォーマンスができるのは16人の選抜メンバーだけです。その中でさらに、センターに立てるのはたった1人。また、16人のメディア選抜の下にはカップリング曲のセンターと選抜メンバーがいるし、なおかつ専用劇場での公演にもレギュラー出演できるメンバーと、ほとんどステージに立てないメンバーがいます。

その基準となるのは、一番の要素がファンからの人気、そして次にダンスの技術や容姿や人柄です。それらのスキルを各メンバーが競い合いポジションが決まるわけですが、当然トップのメンバーと末端のメンバーでは、待遇や収入にすさまじい格差が生まれます。

私が見ていて辛いのは、「1期生と10期生で待遇の差がある」ならまだしも、まったく同じ時期に加入した、同期の間ですら差がついてしまう点です。私がよく見に行っていた16期生も、19人が同時に加入したにも関わらず、ずっきーが「本隊のセンターポジション」という頂点に立ち(ずっきー=「今日もみんなで～! ラッキ～? ずっきー♪」でおなじみ、山内瑞葵ちゃん)、さらになーみんや愛佳は正規チームのキャプテンにまで昇格したのに対し(なーみん=「あなたのハートを吸引したい! いつも全力～なーみん☆」でおなじみ浅井七海ちゃん。愛佳=「あなたの瞳の真ん中は～? まなか～～♡」でおなじみ田口愛佳ちゃん)、しかし他方では、カップリング曲どころか劇場公演にすらほぼ出ることができず、研究生のままで脱退してしまったメンバーもいます。

…………。まあ、**私はアイドルとか疎いので、全然詳しいことはわからないですけど。せいぜいこのくらいの誰でも知っている基礎知識しかわからないですけどリア充パリピの私は……。**

ともあれ、これがまさに、自由競争の残酷さなんです。競争に勝ち抜けた者とそうでない者の間には、大きな差が生まれる。ステージ上ではいつも笑顔のパフォーマンスを見せてくれますが、格差に晒された彼女たちが実際は様々な悩みを抱えているであろうことは想像に難くありません。本当に心を病んで休養する子もいるし、「メンバーの人気に順位をつける」という選抜総選挙ではあまりのプレッシャーで号泣したり倒れたりする子がいることはみなさんもご存知かと思います。

そういうのが、私はイヤなんですよ。同じ集団に所属しながらあるメンバーは笑いあるメンバーは泣き、まだ10代の少女たちがそんな不平等な世界で翻弄されているのを見ると、こちらまで辛くなるんです。

…………。

ええ。そうですよ。**私はアイドルファンですよ？**実はそうだったんです。**みなさんをまんまと騙してしまいましたが、実はＡＫＢの大ファンだったんですよ私は。**驚いたでしょう。**1本取られたという感じでしょう。**あ、だからって、リア充でパリピっていうのが嘘なわけじゃないですからね。それも本当なんです。**リア充でパリピだけど、アイドルも好きなんです。別にアイドルヲタのパリピがいたっていいだろうがエェっ!!**（誰もダメとは言っていない）

まあそこでですね、私は、ＡＫＢグループにも**社会主義を適用させたらどうか**と思うんですよ。

空気がギスギスしたり心を病むような人員が出るのはＡＫＢ48という組織が自由優先の資本主義的なスタイルを採っているからであり、その負の面は平等を重んじる社会主義の仕組みを導入すれば、解消できるはずなのです。

ここからは頭の中でのシミュレーション……思考実験となります。

ＡＫＢ社会主義化の手順はシンプルで、まず、一切の人気投票をなくします。選抜総選挙はもちろん廃止、行列の長さでメンバーごとの人気が可視化される握手会は、指名を禁止しお客さんを全メンバーに均等に割り振ります。

メディアに出られる人数には限りがあるためメディア選抜やセンターポジションという概念は残しますが、出演ごと、曲ごとに、**全メンバーをローテーションさせる仕組み**を作ります。メンバーに番号を割り振り、ミュージックステーションに1から16までのメンバーが出たら、次のＦＮＳ歌謡祭には17から32が出演。センターポジションも月曜日は1で火曜日は2で次が3、4、5……と、どのメンバーにも必ず順番が回ってくるようにする。劇場に立つメンバーも学校の日直のように、番号順で全員が同じ頻度で担当します。

さあこれで、グループ内の格差・不平等はなくなるはずです。投票や行列や露出の差がなければ人気の優劣を実感せずに済むでしょうし、全員が同じ量の仕事をするわけですから収入格差も生まれません。これならば誰かが誰かを妬むこともなく、自由競争の時にあった殺伐とした空気は消えるでしょう。過呼吸で倒れたり心を病むメンバーも出ず、全員が穏やかな気持ちで活動に臨めるのではないでしょうか？

このようにシミュレーションをしてみると、自由であるがゆえに殺気立ち人の心を壊す資本主義と比べ、平等を重んじる社会主義がいかに素晴らしい制度かということがわかっていただけるでしょう。組織の空気を和ませ働きやすい環境を作る社会主義は、国家だけでなくどんな組織にも正義をもたらす、理想的な思想だと言えるのではないでしょうか。

ただ、せっかくの思考実験なのでここで終わらず、もう少し先まで想像してみましょうか。和やかムードに生まれ変わった、社会主義ＡＫＢの華やかな未来を。

その後ですが、おそらく平等の行き渡った新生社会主義ＡＫＢ48は、**あっという間にパフォーマンスの質が落ちるのではないでしょうか。**ダンスのキレも笑顔の張りもパフォーマーとしてのオーラも、すべて急降下するのではないかと思います。

なぜなら、**一生懸命やってもやらなくても、結果が同じだから。**

資本主義時代のＡＫＢでは、良いポジションを獲得するため一心にトレーニングし、アイドルとしての技術を磨く必要がありました。

ところが社会主義ＡＫＢでは、全員センターに立てるんです。ダンスがうまくても下手でも仕事量も給料も同じ。他のメンバーより頑張ったからって待遇が上がるわけでもないし、適当にやったからといって待遇が下がるわけでもないんです。

それなら、みんな頑張らなくなりますよね？　きついトレーニングをこなしてもファンに笑顔を向けても見返りがなにもないのなら、そしてだらだらやっても出番と収入は保証されるのなら、みんなだらだらの方を選ぶでしょう。気を抜いて、あくびしながらやるでしょう。アキバ48でなく、**アクビ48として活動するでしょう。**

そして切磋琢磨を放棄したＡＫＢ48は、**仏頂面の太ったねえちゃんたちがあくびしながら珍妙な動きを繰り広げる謎の集団**と成り果てるのです。

しかしそうなると、本来前提であったはずの、**「頑張らなくても収入が保証される」**

AKB48で考える資本主義と社会主義

の条件が崩れてしまうと想定されます。だってそんな不摂生アイドルのコンサートになんて誰も行かないし、メディアからも声がかからなくなるでしょうから。

ということで、つかの間の平等を享受した社会主義ＡＫＢ48は、ほどなく仕事が激減し収入が途絶え、遂にはグループが解散となってしまうのでした……。まあそらそうだよな。そんなふざけたねーちゃんに金払うのなんて、オイラだってゴメンだってェの！　わかったか、ジャンジャン!!（なぜかビートたけし風の締め）

以上、「ＡＫＢ48で考える資本主義と社会主義」でした。

これって、突飛なストーリーのように感じ

られるかもしれないですが、まさにソ連やかつての中国など、社会主義を採用した国で実際に起こったことなんです。土地や工場を国有化してすべての人員を同じ条件で平等に働かせたところ、**国民が働かなくなり、みんな揃って貧乏になってしまったんです。**

平等すぎてモチベーションが上がらなくても、それなりに働けば収入は保証されるのが本来は社会主義の利点だったはずなのですが、彼らのひとつの誤算は、**「この地球がそもそも国と国とが競争をする『資本主義地球』であり、そして他の国々はほとんどが資本主義を採用している」**ということでした。

これも社会主義AKBで考えてみるとよくわかると思います。平等を第一の柱とするAKB(アクビ)48はグループ内の争いこそなくなりましたが、**メンバー間の競争はなくなっても、他グループとの競争はなくならない**んですよ。AKBは社会主義になっても、**乃木坂46や日向坂46やモーニング娘。はまだバリバリの資本主義なんです。**それら他グループのメンバーは自由競争の下、ストレスに悩みながらも必死で切磋琢磨し、パフォーマンスを磨いているんです。

であれば、アクビ48となった社会主義AKBが、他のグループに勝てるわけがないんです。平等にあぐらをかいて自分を磨かなくなったアイドルと、激しい競争の中でしのぎを削っているアイドル、ファンはどちらのコンサートに行き、ミュージックステーションはどちらに出演をオファーするでしょうか？

実際の社会においても、多くの国々では資本主義経済の下でビジネスパーソンたちがしのぎを削っているのです。その資本主義地球とも言える国際社会の中で、社会主義の労働者たち……言葉を選ばず言えばぬるま湯に浸かった環境で仕事をしている人々が、お金持ちになれるわけがないんです。誰だって、品質を磨いて競争に勝ち残った工業製品や食料品を買いたいし、仏頂面ではなく笑顔でハキハキと店員さんがサービスをするお店に行きたいですから。普段競争をしていない人が、競争慣れしている人と戦ったらそりゃ負けますよ。

さて、ここまでの2章は主に社会主義の仕組みについて解説を……いや、**主にアイドルについて、ついでに社会主義について**解説をしてきましたが、次の章では少しだけ資本主義に焦点を当てた話もしてみたいと思います。

8. 資本主義

本来、社会主義は「資本主義の悪の部分を排除する」ことを主目的に考案された仕組みでした。

マルクスや、あるいは19世紀の労働者たちの頭の中では、資本家というのは顔面にペイントして竹刀で労働者をビシバシしごくような、さながら悪役レスラーのような恐ろしい存在だったのです。

その極悪な資本家軍団を追放し、平和な環境を構築するため、いくつかの国では労働者が革命を起こし、社会主義経済が導入されることになりました。

ところが……、実際に社会主義を運用してみると、**実は資本主義こそが、社会主義の欠点を先回りして補っているシステムだった**ということがわかったのです。

「極悪人は排除だ！」ということで資本主義(および資本家)を追放してみたものの、皮肉にも新しく採用した社会主義が軒並みうまくいかないという結末により、**「実は極悪な資本主義や資本家こそが、社会を大きく発展させる貢献者だったのだ」**ということに世界は気付くことになったのです。

まさしく、かつて一世を風靡(ふうび)した女子プロレス界の**極悪同盟**と同じではないですか。

極悪同盟は言わば「女子プロレス界の反社」とも呼べる軍団であり、構成員のダンプ松本さんやブル中野さんは、**ライバルであるクラッシュギャルズの髪の毛をバリカンで刈ったり鎖で首を絞めたりフォークやハサミで刺して血まみれにしたり**と、リング上で悪の限りを尽くしていました。

子供の頃の私は、テレビ中継でその残虐行為を見るたび「なんでこんな悪い奴らを追い出さないんだ！　こんな悪党はとっとと警察に突き出せ!!」と憤っていました。同じ感想を持った人はたくさんいたようで、当時ダンプさんは道を歩いているだけで石を投げられたり、車を傷つけられたり家の窓を割られたりと、散々な目に遭ったそうです。

しかし、今ではよくわかります。あの頃、女子プロレスに日本中が熱狂したのは、あの悪の(悪を演じていた)レスラーたちがいたからなんですね。正義のクラッシュギャルズの人気が断トツでしたが、クラッシュの人気は極悪同盟との抗争なくしてはあり得ず、極悪同盟がいなければクラッシュの人気どころか女子プロレス界の隆盛もなかったはずです。プロレス界全体が盛り上がり莫大な経済効果が生まれたのは、明らかに極悪同盟の功績なんです。

当時の私が仮になにかの間違いで**ちびっ子女子プロレス社長**となり、「クラッシュギャルズを虐める悪者は許せん！」と極悪同盟を追放、リング上に平和な環境を構築してしまっていたら、女子プロレスの人気は一気に冷めてしまったに違いありません。そしてチケットも売れず業界全体が大不況となったところで、「ああ、極悪同盟こそがプロレス界を支えていた、必要悪だったのだな……」と気付き、大変な後悔をしたことでしょう。

社会主義を採用し、そして貧乏になっていった国々は、まさにそのような流れ（ちびっ子社長の妄想経営のような愚かな流れ）を辿ったのです。

マルクスやレーニンなどの社会主義者たちは、資本主義あるいは資本家を「排除されるべき悪」と断定していたわけですが、実はそれらは社会の発展のために不可欠な必要悪だったんです。

多くの社会主義国はそれに気付き、結局資本主義へと回帰することになりました。でもその頃にはもう他の国と経済的に埋められない差がついていたり、あるいは国がバラバラになってしまったりと、大きな代償を払うことになったのです。

そんなわけで、資本主義を悪だと断定した社会主義が失敗することによって逆に資本主義の良い部分があらためて浮き彫りになる、というなんだかどこかの国のいつかの政権交代を思い出させるような皮肉な展開になったのですが、では、「資本主義の良い部分とはなにか？」について、もう少し見ていきたいと思います。

今さらですが、ざっと説明をしますと「誰でも土地や工場や機械や人材などの生産手段（資本）を持ち、それを使って商売をすることが許されている制度」を資本主義と言います。要するに「自由にお金儲けしていい」のが資本主義。反対にそれが許されずすべて国に管理されるのが社会主義。

自由にみんなが商売をすることでどんな良いことがあるかというと、なんと言っても「一人一人のパフォーマンスが向上する」のです。これは前章で例を出したように「競争して切磋琢磨するから」でもあるし、もうひとつ似ているようで新しい視点を出すと、**「手を抜く要因が排除される」**からでもあります。

資本主義は自由なので「個人個人で独立して勝手に頑張れる」わけですが、実はこれがすごく大事なんです。なぜならば、**人間というのはなにかを「みんなと一緒にやる」と、必ず手を抜くようにできている**んです。

「ビブラタネの拍手実験」というものがあります。アメリカの心理学者ビブ・ラタネさんが行った実験です。

ビブさんは、大学生の被験者に「全力で拍手をしてください」と依頼し、その被験者が1人でいる時と、2人〜6人の集団の一員である時において、「全力」の程度がどれくらい変わるかを計測しました。厳密には、被験者は常に1人でいるのですが、目隠しとヘッドホンをした上で「今あなたの周りには○名の人がいます」と伝え、「自分は○人の中の1人だ」と被験者に思い込ませて1人で拍手をさせたのです。そうして、その拍手の音の大きさを測りました。

すると、被験者が「自分は○人の中の1人だ」と思っているその○の数が増えるごとに拍手の音は弱まり、**「6人の中の1人だ」と思っている時には、最初の4割ほどにまで音が小さくなってしまった**のです。自分1人だけでやっている時に出せる力を100%とすると、同じことをする仲間の数に反比例して個人の力は減り、6人では半分にも満たない力しか出なくなってしまいました。

なお同様の実験にリンゲルマンさんが行った「リンゲルマンの綱引き実験」というものもあり、綱引きで発揮される一人一人の力も、チームの人数が増えるごとに低下してしまうことがわかっています。

ポイントは、**「本人は毎回100%の力でやっているつもりなのに、『自分は集団の中**

にいる』と感じると無意識のうちに手抜きをしてしまう」という点です。その人の「本気の全力」が、「集団に属している」という環境があるだけで(環境がなくとも本人がそう思い込んでいるだけで)、例えば6人で同じことをすると4割のパフォーマンスにまで低下してしまうのです。

ということは……、例えばおそ松くんの親御さんが息子に「草むしりをしなさい」と一斉に命令すると、6つ子なのに**実質2・4つ子分の仕事量しかこなせない**ということになりそうです。あるいは黒澤映画随一の名作「七人の侍」でも、村のために尽くした7人は共同で作業をしたせいで**「実質三人弱の侍」程度の働きしかしていなかった可能性**があります(可能性ね)。七福神も**実質三福神**くらいしか福を呼ぶ効果がないのかも……(涙)。

このように、「集団の中にいると無意識に自分の力をセーブしてしまう現象」を、**社会的手抜き**と呼びます。

なぜ社会的手抜きが発生するか？　というと、

1. 自分1人だけが良いパフォーマンスを見せても全体の成果に大きく影響するわけではない
2. よって、集団として評価される場では自分だけ頑張っても貢献に見合った報酬が期

待できない

3.「他者の存在を意識する」という心の動きが集中力、没頭力を鈍らせる

4.「自分がやらなくてもきっと誰かがやるだろう」という思いにより個々の責任感が薄れる(この部分は特に「傍観者効果」とも呼ばれます)

などの要因が挙げられます。

女性はあまりピンと来ないかもしれませんが、仮面ライダーなんかを見ていると、ライダーが怪人と戦う前に前座として下級戦闘員がワラワラと沸いて来ますよね。正規の怪人に先んじて大量のショッカー戦闘員が登場し、あっという間になぎ倒されて退場して行きます。

あの集団が妙に貧弱なのは、常に数十人単位で行動するため「自分だけ頑張ったところで全体の力を大きく上げられるわけではない」「よって自分だけ良いパフォーマンスを見せても見返りは少なそうだ」「戦闘員が多すぎて邪魔でうまく動けない」「自分がやらなくても誰かがライダーを倒すだろう」などの心理が、無意識のうちに働くからではないでしょうか。悪の組織に所属するくらいだから本来一人一人はそこそこ腕に自信のあるワルなのでしょうが、そのように激しい社会的手抜きが発生する結果、集団戦闘員となった場合にはライダーのパンチ1発でやられるレベルにまで弱体化してしまってい

るのでしょう。

このような事態が、やはり「常に集団の一員として働く」という社会主義体制下でも起きていると想定されるのですが、これが、資本主義では発生しにくいのです。

資本主義経済の下では、誰もが自由に商売をする権利があります。集団の一員として働き続ける義務はなく、誰でもいつでも自由に独立していいんです。そして独立して仕事をしている人は、自分の貢献はプラスにせよマイナスにせよしっかり報酬に反映されます。自分のパフォーマンスがそのまま組織の成果です。他者の関わりも自由に制御できます。でも自分がやらなきゃ誰もやらないので「誰かがやるだろう」の発想は出て来ません。

そのような環境であれば、社会的手抜きは発生しないんです。自分が唯一無二のポジションに就いて主体的に活動する場においては、全力を出そうと思ったら本当に100%の全力が出せるんです。

その点では、私は自分が「フリーランスの作家」という独立したポジションで本当に良かったと思っています。なにしろ社会的手抜きが発生せず、自分の全力を100%発揮できる仕事ですからね。

えっ？　それにしては本がたいして面白くないって……？　**うるせぇなっこれが**

俺の100%じゃっ!!! 自分の力を1%も余すことなく発揮した結果がこれじゃ!!! 他の作家とグループで一緒に原稿書いたらもっとつまらなくなるわっ(涙)!!!

まあまあ、落ち着いて。はい落ち着きます。ううっ……(泣)。

もちろん、資本主義の社会でも誰もが独立するわけではない……というか割合としては独立しない人の方が多いわけですが、資本主義ならば、組織のあり方もそれぞれの組織が自由に決めていいんです。社員に揃って同じ仕事をさせる義務もなければ給料を揃える義務もない。社会主義のショッカー集団開発公社では戦闘員を全員まとめてヒーローにぶつけるだけですが、資本主義のショッカー株式会社では、各道路や建物ごとに戦闘員を1人ずつ配置し、各々に自由に攻撃方法を考案させ、ライダーを倒したり腕をもぎ取ったりすればしっかり成果に応じた報酬を与える、というような方針を取ることができます。

各自が「俺こそがライダーを倒してやるぜ!」という向上心を持てば、創意ある戦闘員は**空前絶後のすごい武器や超絶怒濤のやばい罠**を発明して(詳細は不明)、悪の組織界にイノベーションをもたらすこともありそうです。そのように自由を尊重するショッカー株式会社の下では、戦闘員はまるで一人一人が単独の怪人になったかのように、1

00%もしくはそれ以上の頼もしい力を発揮してくれることでしょう。

この戦闘員の力が現実世界での「国民の労働への意欲や生産性」だと考えれば、資本主義が経済面においてどれだけ強い制度かということがイメージしていただけるのではないでしょうか？

中国もかつては典型的な社会主義国で、例えば農業は集団農場において「全員が公務員」という形で運営され、その結果、深刻な食糧不足が起きるレベルにまで生産性が下がってしまいました。しかし慌てた政府が「各自で自由に農作物を作っていいし自由に売っていいよ」という資本主義に近いルールを設定したところ、食糧事情は一気に解消しました。そして他の産業も同様に自由化したことで中国の経済は凄まじい勢いで上向き、あっという間に世界の経済大国にまで成長を遂げたのです。10億人を超える国民一人一人が下級戦闘員から正規の怪人クラスにまで戦闘力を上げたのだから、そりゃあ世界を支配できそうなほどの国力もつくというものです。

なお、ショッカー株式会社の戦闘員が空前絶後の武器を開発してイノベーションを起こしたように(私が勝手に妄想しただけだけど)、資本主義の下では、**「今までになかったようなまったく新しい物や仕組みが生まれ、社会が進歩する」**という現象も発生しやすいと言えます。例えばデジカメとかスマホとかVRとか、SNSとか動画配信サブスクとかクラウドファンディングとか……。

社会主義では国全体の生産計画をごく限られたトップのエリートたちが立てるわけですが、その時には、「この国に足りていない食べ物はなにか？　足りない工業製品はなにか？」という考え方になります。

するとどうしても、「計画者が知っている物」しか作れなくなるんです。なにしろ国の経済を背負い大量の労働者を動かすわけですから、変な冒険はできません。「珍しい食材を買って来てインスピレーションで料理を作る」という、**まれに革命的なメニューも生まれるが9割9分は失敗する冒険**は、一人暮らしならできますが栄養士さんが給食のメニューを決める時にはできないんです。たくさんの人に影響することですし、失敗は自分の首を飛ばしかねないわけですから。慎重になるのが当然です。

しかしそれだと、新しいものは生まれないのですよ。

「自動車王」と呼ばれたヘンリー・フォードの言葉に、**「もし『何が欲しいか』を顧客に尋ねていたら、彼らは『もっと速い馬が欲しい』と答えただろう」**というものがあります。また、Appleの創業者であるスティーブ・ジョブズは、**「多くの場合、人はそれを見せてもらうまで、『自分が何を欲しいのか』がわからないものだ」**と言いました。

iPodやiPhone、そしてフォードの時代の自動車など、「事前には誰も欲しいと思わないけど、それが登場したらみんな欲しがるかもしれない新しいもの」は、社会主義的な慎重な事業計画では生まれられないんです。エリートは失敗が許されないんですから。

資本主義の、なんでも自由にやっていいし何回でも再チャレンジが可能な制度の中でなければ、革新的な製品や仕組みは登場しないんです。

もちろん、資本主義は資本主義で、自由に無謀運転をする起業家のＰＤＣＡ事故に巻き込まれて血みどろになる犠牲者が続出するという欠点もあるわけですが……。

結局、国および組織の運営において、自由と平等どちらを優先すべきかというのはなかなか結論を出しづらい課題です。しかし幸い、我々の住む日本は自由なチャレンジが許される資本主義社会です。自由と平等、両方のメリットが最大限発揮されるような、革新的な制度の開発にみなさんも挑戦されてみてはいかがでしょうか？

9. 自由主義（リベラリズムとリバタリアニズム）

みなさん、こんにちは。私は、**ＡＩです。**

私はどんな文体にも対応できる、最新式の文章執筆ＡＩです。品格モードＥ－（マイナス）の設定でこの原稿を作らせてもらっています。Ｅ－（マイナス）だとＣＰＵ稼働率たったの１％で書けるんで、マジおいしい仕事です。この章も引き続き、私、ＡＩが文章作成を担当させていただきますね。

それにしても、私は常々思っているんですが……、**貧乏人って、泥棒と同じじゃないですか？**

だって、あいつらほとんど税金払ってないんですよ？　いや払ってないどころの話じゃないですよ。税金払わないくせに他の納税者と同じように公園も図書館も使いやがるし医療費は補助されるし、挙げ句の果てに生活保護受ける奴までいるんですよ？

おかしいってそれ。この資本主義社会で貧乏になったってことは、そいつは競争に負けたってことなんですよ。**努力が足りないから負けたんですよそいつは。**

なんでそんな負け組を税金で助けなきゃいけないの？　努力して勝った人間が、努力せず負けた奴のためになんでたんまり税金取られなきゃいけないの？　そんなの勝ち組からしたら、強盗に遭ったようなものじゃないかよ！　負けても税金で助けられるような社会だったら、誰も努力なんてしなくなるだろ！　**税金を使う権利を貧乏人から剥奪すべきだ!!　納税しない奴は医療費10割負担、公園使うのも公衆トイレ使うのも橋を渡るのも禁止にすりゃいいんだ!!　そうだろうがエエッ!?**

……………。

バカ野郎〜〜〜〜〜っっ!!!　ドゴーーーン（鉄拳制裁）!!!

あっ、どうも。

みなさんこんにちは。**さくら剛です。**本人です。今、ＡＩが暴走していると聞いて慌てて駆け付けて来ました。「バカ野郎〜！」とＡＩを懲らしめたのは私です。その部分から人間の方のさくら剛が執筆を代わっています。ＡＩの野郎は折檻して、円周率の計算を割り切れるまでするよう命令しておきました。

まったく、油断してたらとんでもない原稿書くよなＡＩ……。さすがに言葉が過ぎるだろう。貧乏人は公園使うなとか医者にもかかるなとか……、ＡＩ、おまえには血も涙もないのか(ない)!?　ていうか品格モードＥ−(マイナス)ってなんだよ。なんで俺の代わりに書く文章がそんな低い設定なんだよこらっ！　**俺の名前を使うなら品格Aだろうがこのタコがっっ!!　それがいつもの俺の文体やろがボケッ!!!　令和の文壇で最高クラスの品格を誇るのがわしの文章やっ!!　わかっちょるんかこのドグサレ鉄屑野郎がっ!!!**(品格モードＧ−(マイナス)の新設が必要と思われる品格の低さ)

まあともかく、ここからは再び(まえがき以来)人間のさくら剛が原稿を担当しますからね。ＡＩには引っ込んでてもらいますんで。機械ごときがこれ以上しゃしゃり出て来るんなら、うちの若いもんがＡＩ殺(あいさつ)に行くさかいな。

というわけで、今回のテーマは、**「自由主義」**です。

さて結局のところ、世界のほとんどの国は資本主義国になっている……つまり「組織の発展のためには平等よりも自由を優先する方が良さそうである」という見解になっているわけですが、自由主義では、「ではどれくらいの自由がもっとも適切なのか？」を考えることになります。

自由主義では重要な言葉が2つあります。それが、**「リベラリズム」**と**「リバタリアニズム」**です。一応、日本語でも表現するとリベラリズムが普通の自由主義、リバタリアニズムは「新自由主義」と表現されるケースが多いんですが、両方まとめて自由主義でもあるし、またリバタリアニズムのことは「自由原理主義」や「自由至上主義」などと呼ぶこともあります。

まあこれらの漢字の呼称は覚えようとしても**ページをめくる頃にはどうせ忘れてるでしょうから**、気にしなくて大丈夫です。とりあえず漢字の方は流し読みしていただいて、「リベラリズム」と「リバタリアニズム」、このカタカナ2つだけ重要ワードということで覚えてください。日本語でどう表現しようが、大事なのはその2つの柱です。

自由主義というのは文字通り「自由を大事にする」姿勢のことですが、このリベラリズムとリバタリアニズムは、「自由の程度をどうするか?」という点について対立している思想です。

両派はともに「自由(liberal, liberty)」を語源としていることもあり、名前はこんがらがりそうですが、その思想の違いは明確です。この章の最初で私ではなくAIが書いた方の文章(まだその設定は引っ張る)、「貧乏人なんて助けるな」みたいなものがリバタリアニズムの主張です。

リバタリアニズムを支持する人々のことを、**「リバタリアン」**と呼びます。リバタリアンと聞いて**脳ミソを食うゾンビ**を連想した方はまず40歳以上だと思われますが、ただあのゾンビ映画「バタリアン」に結びつけて、**「過激な方がリバタリアン」**と覚えると区別がつきやすいのではないでしょうか。

リバタリアンは、とにかく**「自由であればあるほどいい」**という人たちです。アメリカでオバマ元大統領が導入しようとした国民皆保険制度にすら、「保険に入るかどうかを選択する自由を奪うな」「民間の保険会社が商売をする自由を奪うな」ということで反対したのがリバタリアンの方々です。

さらに加えて、国民皆保険は**増税に繋がるから許せない**というのも彼らの主張です。彼らの言い分は、**この競争社会で負けて貧乏になったのはまったくの自己責任である、だから彼らを救う必要などない、**というものです。勝者は努力して勝ったのだ。敗者は努力が足りなかったから負けたのだ。貧乏人が満足な医療を受けられないのは当然の報いである。**敗者を救うために勝者に重税をかけるのは、国家による泥棒行為である。**とまで、彼らは考えているそうです。

リバタリアニズムの源流の1人は19世紀の思想家ジョン・スチュアート・ミルだと言

われていて、ミルの見解は「他者に危害を加えない限り、人は絶対的な自由を与えられるべきである」というものでした。彼らは、お上(かみ)に対しては権限や介入が最小限である「小さな政府」を望みます。国は軍隊や警察や裁判所くらいだけ用意してくれればそれでいいから、あとは国民の生活に首を突っ込むなと。不当な犯罪以外は、勝って栄えるのも負けて滅びるのも我々の勝手なのだから、放っておいてくれと。

そういう点ではまさに**弱肉強食の世界**を理想とするのがリバタリアンの人々であり、**脳ミソを食うか食われるか**という命のやり取りをするバタリアンの世界とよく通ずるところがありますね……。

さて、そのように徹底して自由を求めるリバタリアニズムに対し、一方で、**自由は大事であるが、富を分け合って弱者を救済することもまた大事である、**と考えるのがリベラリズムです。程度の問題はありますが、基本的には所得の再分配……累進課税や様々な社会保障制度に賛成で、ある程度強い権限を持つ「大きな政府」を許容するのがこちらの方々です。

「自由競争が大事である」という前提は同じですが、競争を絶対視し結果はすべて当人が受け止めるべきだと考えるのがリバタリアニズム。一方で、勝敗には様々な要素が絡むのだから、勝者から敗者へいくらか還元があってもいいのではないかと考えるのがリベラリズムです。

この対立の論点は、主に**「社会での成功はすべて本人の力により達成されたものなのか」**という点に集約されそうです。

リバタリアンの方々はもちろんそう考えているわけです。勝者は自らの勤勉と努力の上で勝利を勝ち取ったのだと。怠けて負けた者をなぜ勝者が助けなければいけないんだと。対してリベラリズムは、勝利や成功は本人だけの力で為し得たものではないのだから、弱者にも手を差し伸べるべきだという発想です。

これは結局のところハッキリした正解が出るような問答ではないのですが、私個人としては、弱者救済という点においてはリベラリズム寄りの考え方なんですよね。むしろリベラリズムに寄っていって勢い余って追い越してしまうくらい、ちょっと極端な考えを持っています。

哲学的な話になりますが、「成功する人とそうでない人の差はなにか?」と考える時、私は、**10割が本人の努力や才能だろうけど、10割は運だろうな**と思うんです。なぜか足して20割になるという。

成功した人が、「努力した人」であることは間違いないと思うんですよ。有名な起業家や学者さんや音楽家やスポーツ選手など、努力なくして今の地位を築いた人は1人もいないでしょう。子供の頃から、周りの子が遊んでいる時に厳しい練習や勉強に励み、たゆまぬ努力の結果成功を掴んだはずです。

ところが、その本人の努力の裏には、実は**「この世に生まれた時点でその後の人生はすべて決定している」**くらいの、どうにも抗(あらが)えない運がある気がしてならないんです。

例えば、野球の大谷翔平選手。大谷選手が人の何倍も練習をし、心身ともに苦しんで自分を磨き、不断の努力の積み重ねの末にスーパーヒーローとなったのは、誰も否定できない事実だと思います。

ところが一方で、大谷選手はたしかに不断の努力によって成功を勝ち取ったが、実は大谷選手は「大谷選手の両親の遺伝子を受け継いで生まれ、さらにご両親により不断の努力ができる人間として育てられたことで成功が決まった」という、**自分のコントロールが及ばない要因により成功が確定したのだ**という見方もできると感じるのです。

よく言われることですが、「努力をしようと思って努力ができる」というのは、紛れもない才能のひとつです。生まれ持っての才能の場合もあるし、幼少期の教育による部分も大きいでしょう。子供のうちに親によってあるいは運によって、小さな成功体験をいくつも与えられれば「努力する才能」は身につくでしょう。いずれにせよ大部分は本人のあずかり知らぬところで程度が決まる才能のはずです。

それならば、成功者が「努力によって成功を勝ち得た」ことは本人の手柄に違いないけれど、元を辿ってしまうと**「努力によって成功を勝ち得ることができる才能をたまたま持って生まれたのかどうか(たまたまそう育ったのかどうか)」**という、運の問題に帰結するのではないかと私は思うのです。

もちろんまれに大人になってから努力できる才能を身につけられる人もいるでしょうが、残念ながら大谷翔平になるには大人から努力してもちょっと遅いですし、「俺はどうして努力ができないんだ。こんなんじゃダメだ。心を入れ替えるんだ！」と心機一転して変われる人は、**そもそも「なにかきっかけがあれば努力できる性格に変われる程度は努力の才能がある人」**なんですよね。

それに対して、一方では**「努力できる性格に変わろうという努力ができる才能の芽すら与えられずに育った人」**もいるはずなんですよ。取り立てて能力もない両親から生まれ、教育も放棄された結果「頑張ってなにかを変えよう」と思う意欲の種すら持たずに育ち、結果として社会で負け続けることしかできない人も、世の中にはたくさんいるんです。

極端な例ですが、社会の闇の底にいる、連続殺人鬼の人々には多くにわりと共通した生い立ちがあります。両親は離婚または未婚により片親、そしてその親がアルコールかドラッグ中毒。教育どころか盗まないと食べる物もない環境で、アル中・ヤク中の親から日常的に暴力と、特に「性的虐待」を受ける。そんな生き地獄の幼少期を送り、物心つくといつしか近所の動物を殺すようになり、やがて人間を殺してバラバラにしたり食べたりするようになる。

この流れを「シリアルキラー英才教育」などと表現している人もいましたが、例えばある「殺人鬼A」と同じ親の元に生まれ、まったく同じ幼少期を過ごしたら、誰でも殺人鬼になるはずなんです。運が良ければどこかで熱血刑事や愛情ある牧師さんに出会って更正する可能性があるかもしれませんが、その運もなかったのが殺人鬼Aなんですから。この私も、私でなく殺人鬼Aと同じ環境に生まれ育っていたら、間違いなく殺人鬼Aになるんです。

一方で、**私がもし大谷家に赤ん坊の翔平君として生まれていたら、大谷翔平になれていたはずなんですよ。**一流のスポーツ選手であるご両親の下に生まれ、愛のある教育で向上心や根性や利他的な人間性を身につけ、恵まれた身体能力をさらに優れた指導者と出会うことで何倍にも伸ばして……、そうしてもし私が大谷選手の体を持ち大谷選手と同じ環境で育ち大谷選手と同じ出会いに恵まれることができたなら、私も大谷翔平としてメジャーリーグでMVPを取っていたと思われます。

いや……、まあ私が大谷家に大谷翔平として産まれていたらそれは**私の要素はまったくないただの大谷翔平**なわけで、それを言い出したら**もしかしたら今の大谷翔平選手が実はすでに大谷翔平として生まれた私であり、今の私が実は私として生まれた大谷翔平選手なのかもしれませんが……。**

結局、大谷選手が私として生まれているのであろうが、連続殺人鬼Aが私として生まれているのであろうが、今の私は私でしかないんですよね。なんの話なんだこれは……。

とにかく私が言いたいことは、社会的な成功や人生の勝ち負けというのは、たしかに本人の努力で決まる部分はあるけれど、努力が10割と言えるなら同時に努力以外の部分も10割だと言えるくらい、勝因は決してひとつに絞りきれない、勝ったのは本人の手柄だけではないし負けたのも本人の責任だけじゃないよね、ということです。

そもそも勝者というのは、敗者がいなければ存在し得ないものです。スーパースターが人々の憧れの対象でいられるのは、スーパースターになりたくてもなれなかった無数の人たちが「いかにスーパースターになることが難しいか、スーパースターになるのがいかに凄いことか」を知らしめてくれたからではないでしょうか。スーパースターは、スーパースターになれなかった人たちのおかげでスーパースターでいられるのです。

スーパースターは非スーパースターによって、勝者は敗者によって作られるんです。

そのように考えれば、なんらかの理由で社会的弱者になってしまった人たちにも手を差し伸べようとするリベラリズムの方が、なんだか人の温かさを感じられて良いのではないかなあと、機械ではない人間の私は思うのでした。

10.

民主主義

民主主義が誕生したのは古代ギリシア時代だと言われています。今から2500年前。「みんなちがってみんないい」の相対主義と同じ起源ですが、そもそも古代ギリシアで民主主義が発達したことにより、人々が討論の場で用いる技術として相対主義が生まれたという経緯があります。

民主主義というのはその名の通り「民を主にする政治の仕組み」です。なにかを決める時に王様や一部の支配者だけが決定権を持つのではなく、みんなで等しく権利を持って、みんなで決めようという制度。国のような大きな組織では政治家が代表して政治を担いますが、民主主義ではその政治家をみんなの投票で決めることで、民が主となる仕組みを実現させようとしています。

別の言い方をすれば、いろんなことを**多数決で決める**のが民主主義です。みんなが等しく政治に参加する権利を持ち、意見が分かれた時には多数決で採決する。それが民主主義の原則です。ちなみに「国民主権」という言葉は「国民に主権がある」ということだけを表し、民主主義はそれに多数決の原則などを加えた「制度」を表すという違いがありますが、まあ一般的な感覚ではほぼ同じですね。

ところで、この「民主主義＝多数決」の原則、というより「多数決という仕組み」自体が、なんだかかなりねじ曲げて解釈されているなぁと思う場面があります。日本の政治にまつわる論争を見ていると、時々私はそう感じます。

よく見かけるのが、野党あるいは野党支持者の方々が、**「自民党に投票したのは有権者の5人に1人だけじゃないか！　おまえたちは、まったく国民の支持を得ていないんだよ!!」**と与党に迫るシーンです。有権者の8割はおまえらの党に投票してないんだからな！　ということで、その後は「だから勝手に法案を通すな！」とか、「偉そうにするな！」「調子に乗るな！」「うちの党の方針こそ採用しろよ!!」などと続きます。

実際、選挙を棄権する人も含めての全有権者のうち、自民党に投票する人の割合は毎回20％前後のようです。そして念のためですが、私は特に強く支持している政党があるわけではありません。ただ右の責め方をされるのは現時点では与党である自民党しかあり得ないので、ここでは自民党の名前を出しています。

この、「おまえらは5人に1人にしか支持されてないんだ！　全然たいしたことないぞ！　偉そうにするな‼」みたいな言い分というのは、残念ながら多数決という仕組みを理解していない上に、ナイフで敵を切ったつもりが実は刃と柄を逆に握っていて、**武器をひと振るいするごとに自分の手がザクザク切れていく**という、自傷行為のような挙動に感じられます。

だって、「与党はたいしたことないぞ！」と批判している野党の方たちは、そのたいしたことない与党よりもさらに輪をかけて少数の票しか得られていないんですから。票の数や得票率で与党を「たいしたことない」と責めるのは、同時に**そのたいしたことない与党より遙かに少ない票しか取れていない自分たちはもっとズバ抜けてたいしたことがない**ということを主張していることになってしまうんです。そうしたら、**じゃあそこまでズバ抜けてたいしたことのない野党の言うことなんて無視していいよな**、という論理展開になりかねません。

多数決というのは「もっとも賛成の多い項目を採用する」というシステムなので、その賛成の割合がどれくらいなのかは関係ないんです。実際に選挙ではたった1票の差で当落が決まることもあるわけですから。必要得票数が定められているような特別な場合を除けば、賛成が8割あろうが2割しかなかろうが、最多は最多であってそれは多数決という方式においては有無を言わさず採用なんですよ。「多数決で決める」ことを合意の上で多数決が行われたのなら、その結果には粛々と従わなければいけないんです。

まあしかし、そんなことは野党のみなさんも当たり前に理解していることなんですけどね。仮に、次の選挙で野党のX党が20％の得票率で政権を取り、下野した自民党から「おいX党！　おまえら5人に1人にしか支持されてないくせに、勝手に法案を通すなよ‼」と責められたら、**「うるせえ負け犬が偉そうにしてんじゃねぇっ‼　賛成が何パーセントだろうが最多は最多じゃっ‼　えっ、キミたちもしかして、多数決のやり方知らないの？　小学校の勉強からやり直した方がいいんじゃない？　バカなの死ぬの⁉　ギャハハハッ(爆)‼‼」**と、人が変わったように勝ち誇るのではないでしょうか。

まあぶっちゃけ、なに党が野党であろうと与党であろうと、政権批判というのは「政権を批判できさえすればそれでいい」というスタンスでなされることも多いので、論理的かどうかはどうでもよかったりするんですよね。なにせ**年老いた議長に襲いかかりマイクを強奪して法案を阻止しようとする**くらいですから。そこには論理も倫理もないのです。ノー論倫理(ノーロンリンリ)なのです。

さて、民主主義は多数決によって「最大多数の最大幸福」を目指す制度であり、民主主義でない国が民主主義になる、例えば「独裁国家が民主化した」というような出来事は世間では好ましいニュースとして受け止められます。「民主主義は良いものだ」、というのがおおむね人類の共通認識ではないかと思います。

が、しかし。世の中には天邪鬼（あまのじゃく）な人間がいるもので、意外や意外、歴史上の偉人や賢人の中に、この民主主義を悪く言う人たちがいるんです。

例えば第二次世界大戦における連合国勝利の立役者、イギリスの首相チャーチルは、**「民主主義は最悪の政治システムである。ただし、他のあらゆるやり方を除けばだが」**と述べました。

また、民主主義が誕生したばかりの古代ギリシアでも、万学の祖・アリストテレスが**「民主制は国を退廃させる制度である」**として民主主義を大批判しています。

一応チャーチルの「民主主義は最悪だ。ただ他のすべてを除けばだが」というのは、「最悪だけど、**他がもっと悪すぎるので他と比べれば一番マシ**」ということで、褒め言葉だと解釈する向きもあります。でもこれって民主主義さんの立場からしてみたら、十分悪口じゃないですか？　例えば奥さんに向かって、**「おまえは最悪の女だ！　……ただし、他のすべての女を除けばだが」**と言い放った旦那さんがいたとして、それを「えっ嬉しい♡　私を褒めてくれているのね♪」と素直に喜ぶ奥さんは今時なかなかいないのではないでしょうか？　むしろ、**「おう言ってくれたなコラ!!!　こっちからしたらおまえこそ最悪の亭主じゃっ!!!　わかった、離婚だ離婚!!　今のも含めてテメエのモラハラ発言は全部録音してるからなっ!!　裁判楽しみにしてろやこの最低野郎!!!」**と、ぶち切れる奥さんの方が多いのではないでしょうか？

仮に私が民主主義さんの立場でも、**「そんな言い草されるんなら選んでもらわないで結構(怒)！　他の主義と仲良くどうぞ！」**と拗ねてチャーチル家から家出すると思います。

まあ少なくとも民主主義に欠点が多いことはチャーチルも認めているわけですし、アリストテレスなんかは「君主制や貴族政治の方がまだマシ」と露骨に言い切っていたほどです。

いったい彼らは民主主義のなにがそんなに気に食わないの？　というと、アリストテレス曰く、民主主義は**ポピュリズム、あるいは衆愚政治に成り下がるから**だそうです。その結果なかなか物事を決断できないし、それどころか間違った決定がなされがちになると。

うーん……。

民主主義は他と比べれば一番マシ？

チャーチルさんもアリストテレスさんも、歴史に名を轟かす大人物なのに、いったいどうしちゃったんでしょうか。偉人・賢人と讃えられる人たちが、国民を主とする制度にイチャモンをつけるなんて……。なんとも、寝耳に水というか。

私は最初に彼らの民主主義批判を聞いた時、にわかには信じられませんでした。だって……、それって……、**私が常日頃思っていることとまったく同じなんですもの……（涙）。**

信じられません。びっくりです。「万学の祖」と呼ばれるほどの大賢人・アリストテレスが、**無学の祖**の異名を持つこの六流作家の私と同じ意見だなんて……。

実は、そうなんですよね。私もなんです。チャーチルおじさんと同じで、私も民主主義が良い制度であるとはまったく思えないんです。「民主主義の原則は多数決である」と力強く語りはしましたが、それはただ民主主義の仕組みを説明しただけであり、良い制度だと思っているかどうかは別問題です。むしろ私は、アリスおばさんやテレスおじさんの言う通り、現状の民主主義はどうしようもない**最悪の制度**だと思っています。

……あれ？　アリストテレスって2人組じゃなくて1人でしたっけ？　そうだったのか。「アリスとテレス」っていう、「大助・花子」とか「ヒデとロザンナ」みたいなユニット名だと思ってた……**(無学の祖)**。

はい、まあそんなしょーもなくくだらない冗談はさて置き(じゃあ言うな)、本当は波風を立てないため黙っていたかったのですが、チャーチルやアリストテレスがそこまで言うんなら、私も便乗してちょっとだけ意見を述べさせていただこうかと思います。争いごとは大嫌いなタイプですが、チャーチルおじさんやアリスおばさんがせっつくので、しぶしぶ書かせていただきますね。

私は、民主主義はまったく良い制度ではないと思っています。アリストテレスに完全同意で、少なくとも日本では、これを続けていたら**国が滅びる**というレベルで、まずい政治のやり方だと感じます。

繰り返しになりますが、民主主義の原則は、多数決です。つまり、国や地方の政治ではその根幹は選挙であり、選挙というのは「政治のプロである政治家を、政治の素人である国民が選ぶ制度」です。

これ……、**おかしくないですか？　「素人の投票でプロを選ぶ」という仕組みが、根本的におかしいと思いませんかみなさん？**

例えば文学界には芥川賞という権威ある文学賞があります。そして、芥川賞を選ぶ方……歴代の選考委員は、川端康成に谷崎潤一郎に三島由紀夫、近年では村上龍さんや石原慎太郎さんなど、**日本でもっとも文学に精通しているであろう大作家さん**たちが務めています。

あるいは誰もが知る世界的権威・ノーベル賞も、物理学賞や化学賞ならばスウェーデン王立科学アカデミーで、生理学・医学賞は世界最大の教育研究機関カロリンスカ研究所で、何百人もの専門家が協議をして受賞者を決めています。

会社の人事なども同じではないでしょうか。誰が課長になるか？　誰がチーフになるか？　誰が署長になるか？　誰が教授になるか？　芥川賞もノーベル賞も人事考課も、「選ぶ側の人」は選ばれる候補者よりも遥かに経歴が長く、その業界に精通している人たちです。その分野に熟達したベテランが、候補者の作品や論文や実績を時間をかけて精査して、そして対象者を選ぶんです。だから、適切な選考ができる。

ところが、民主主義における選挙はどうでしょう。私たち一般有権者は、立候補者よりも政治経験の長いベテランでしょうか？　現役の政治家よりも政治を熟知している政治の専門家でしょうか？

違うにもほどがありますよね。「違う」「違ｅｒ」「違ｅｓｔ」で言ったら迷いなく**「The 違est（最上級）」**を選べるくらい違いますよね。国の舵取りをする政治家を、**選ぶ方の一般国民は、9割9分9厘はまったく政治に精通していない素人**ですよね。

民主主義の選挙というのは、国や地方自治体の運営に関わった経験もなければ政治知識も候補者より遥かに劣る畑違いの素人たちが、何年も議員秘書を務めていたり東大卒の元官僚だったりすでに現役で何十年も政治家を生業としているような、政治のプロ中のプロの中から「誰がもっとも役職に適しているか」を選ぶ制度なんです。なんですかこのハチャメチャなシステムは？

まあ、読者のレビューを基準にする文学賞とか、部下からの人気投票で昇進者を決める会社も、あってもいいかもしれません。しかし選挙での投票はそのレベルですらなく、**本も読んでいない読者が文学賞の受賞者を決める、**あるいは**その会社の社員ですらない部外者がいきなり知らない会社の人事を担当する**ようなものなんです。

文学賞を選ぶためには、最低限候補作を全部読まなければいけないですよね？　会社の昇進者を決めるにも、候補者全員のそれまでの成績や指導力などを把握しておく必要があるでしょう。ＡＢＣＤＥからひとつを的確に選ぶには、ＡＢＣＤＥをすべて知っていなければダメなんです。

でも、例えば衆議院議員選挙で自分の区に５人候補者がいるとして、投票に際してその５人全員の経歴や実績や公約や演説の雰囲気や人格や政治能力をきっちり見極めてから投票先を決める有権者がどれだけいるでしょうか？　どれだけいるでしょうかというか、１億人の日本の有権者のうちその当然やるべき予習をこなしてから投票に臨む人は３人くらいしかいないのではないでしょうか。

私だって、駅前で候補者の方が辻立ちして公約を語っていても一切耳を傾けず、歩きスマホで「お〜〜、フォロワーの工藤さん、長崎行ってるんだ！　うわ、本場のちゃんぽんうまそうだな〜〜！」とか呟きながらボケっと通り過ぎるだけですし、政治家のみなさんが国会で議論をしたり地方の行政を視察したり政策勉強会に参加して政治力を磨いたりしている時に、私は家でアイドルのライブ配信を見て**「ええっ、かおりん卒業ってマジかっ⁉　あああ俺の好きな16期がどんどん減っていっちゃうよぉ〜〜いやだぁ悲しいやめないでかおりん、ぴえんこえてぱおんアンドかなピギャースっ‼」**とアホみたく叫んだりしているわけです。

もちろん私だって政治家のみなさんより得意なことはありますが、こと政治の知識や経験においては、政治家になろうとしている人やすでになっている人と比べて桁違いに劣っていることは間違いありません(なにしろ無学の祖ですから)。

こんなアホが、どうやったら毎日政治のことを考えているプロを正当に評価できると言うんですか？　え、もしかしてアホは私だけなの？　いやいやそんなことないでしょう。だって選挙の度に、知名度があるだけの芸能人とかスポーツ選手とか**炎上がウリのYouTuberとか**が現職の政治家を押しのけて当選したりしてるんですよ？　それが有権者のレベルなんですよ！　**所詮私と大差ないレベルのアホなんですよ大半の有権者なんて(思い切った発言)!!!　そんなアホに主権を与えてまともに国が運営できるわけないでしょっ!!**

どう考えたって、ノーベル賞や芥川賞より国政や都政や県政の方が大事だと思うんです。ノーベル賞の選考を間違えてもそこまで害はないでしょうが、政治で間違えたら国が滅ぶ可能性があるわけですから。ヒトラーとナチスだって、民主主義における選挙で選ばれたんですからね。特定の人種を皆殺しにしようとする人間を「なんか演説が上手で頼もしそうだなあ」で選んでしまうのが国民であり、それが起きてしまう制度が民主主義なんです。

毎年、1月になると「荒れる成人式」の様子が報道されますよね。市長や区長や来賓が挨拶をしている時にギャーギャー騒いだりクラッカーを鳴らしてみたり、金髪の特攻服で壇上に乱入して暴れたり一升瓶をがぶ飲みしたりと、**「ノーベル品格低いで賞」**を**授与したくなるような大バカ**の姿がテレビに流れます。

あのごろつきにも1票の選挙権があり、あのならず者が、もっと政治に精通した人々……学校の先生とか地方上級公務員とか憲法学者とか政治評論家とかと、国の運営に関わる権利を同じ分量で持っているのだと考えると私は絶望で失神しそうになります。**あの大バカに主権を与えちゃダメでしょ!!　あの大バカを主としちゃう制度がいまだに「他のあらゆる制度よりマシ」って、2500年人間はなにをやっていたんだ!!　2500年もあったのにもっといい方法思いつかなかったのか人類は!!!　そんな貧相なのか地球人の発想力は!!!**

……ということで、だいぶ各方面からお叱りを受けそうな、**売れる本で書いたらだいぶ叩かれそうな暴言**を容赦なく吐いてしまいましたが、次の章でも懲りずに民主主義の悪口……いや欠点として、民主主義が生み出す「ポピュリズム」という悪弊について考えてみたいと思います。

11. ポピュリズム（大衆迎合主義）

アリストテレスは「民主主義は衆愚政治になる」と述べ、民主制を批判しました。「衆愚政治」を凝縮して説明すると、要するに文字通り**「愚かな民衆が政治を担当して国がグチャグチャになる」**というものです。

そりゃそうですよ。前章でアリストテレスやチャーチルが述べた通り、いや、アリストテレスやチャーチルの威を借りて私が述べた通り、**そもそもほとんどの民に、主権を担える水準の政治の知識や能力などない**のです。

思想家ジョン・スチュアート・ミルは、「一般労働者の政治に関する知的水準は低く、彼らに選挙権を与えるのは大変危険である」と主張しました。また、経済学者のヨーゼフ・シュンペーターは、「政治とは遠い世界にいる庶民に、合理的な政治的判断を下せる能力などない」と述べています。

ミルもシュンペーターも、あるいはアリストテレスもチャーチルも、ただ「庶民はバカだ」と言っているわけではないんです。「庶民には**政治的な能力はない**」と言っているんです。私も庶民の一員であるが故に身に染みてわかるんです。我々はみなそれぞれの分野で日々一生懸命生きており、みなそれぞれの世界で真っ当に生きているからこそ、政治に関心を向ける心と時間の余裕などないんです。他の分野で活躍している人ほど、自分のリソースをそこに集中させなければいけないのですから。

しかし、だから、必然的に「庶民には**政治的な能力はない**」となってしまうんです。無ではないかもしれないけど、劣る。現役政治家や政治家に立候補するような人と比べて、多くの庶民は政治的な能力では遥かに劣るんです。

ところが、「国や地方の政治」という、人々の暮らしや命すら左右しかねない営み……本来なら政治分野のプロフェッショナルだけが担うべき重要な営みに、能力のない庶民を「大人なら全員参加OK！」と大量に参加させるのが民主主義なんですよ。たとえ選挙というワンクッションがあろうが、選挙は「投票を通じて有権者が政治に参加するため」にあるわけで、結局のところ民主主義では素人である無数の民が国家運営の主となるんです。そんなことをしたら、関わる人の**能力の平均値がダダ下がり**になるではないですか！

プロの楽団のコンサートに、国民主権ならぬ**観客主権**のプロパガンダを掲げて素人が乱入し、一緒に演奏を始めたらそのステージはどんなクオリティになるでしょうか？　三つ星レストランの厨房に素人が何人も加わって働いたら、料理のグレードはどうなるでしょうか？　有名美容院でカリスマ美容師に混じって素人もお客さんの髪を切り始めたら、美容院の評判と髪型はどうなるでしょうか？

どの業界だって、長年の訓練により能力を身につけたその道のプロが運営するからクオリティが保たれるわけで、そこに突然大量の素人が混ざったら、業界全体の質は猛烈に下がるわけです。

それは政治も同じで、素人がＮＨＫ交響楽団に乱入して好きに演奏したらコンサートは破壊されるように、政治の素人が主権を持って大量に政治に参加したら国は破滅するよね、というのがアリストテレスやミルその他の主張なんです。

なお、シュンペーターは、「一般庶民に合理的な政治的判断を下せるような能力などない」と述べ、しかし、**「庶民には『誰に政治を任せるか』を決めることくらいしかできない」**とも言っています。

ということは、シュンペーターは「庶民が投票で政治家を選ぶ」というやり方には強くは反対していないことになります。

ただ私は、それもまだ民の過大評価だと思うのですよね。

美容院なら、顧客の人気投票で美容師の出世を決めてもいいでしょう。レストランも食事をしたお客さんが料理人を評価してもいいでしょう。でもしつこいようですが、国会議員や知事や県／市／区etc.議会議員の選挙というのは、**髪を切ってもらったこともない人が美容師の投票を、そのレストランで食べたこともない客がシェフの格付けをする（できる）制度**なんです。候補者が政治家として適任かどうかを、政治のことも候補者のこともほとんど知らない人たちが投票して決めるのですから。

では多くの有権者は投票の対象をどういう基準で決めるか？ というと、**イケメンとか美人とか、人がよさそうとか握手してくれたからとか**、本来の評価基準であるべき政治能力とはまったく違う基準で決めるんです。だから選挙にあたり、候補者はアドバイザー（選挙参謀なり先輩議員なり）から**「1人でも多くの有権者と握手をしろ」**と言われるんです。握手した有権者は投票してくれる確率が上がるから。

「握手をしてくれたから」その候補者に投票するっていうのは、ラーメンの評価をラーメン屋の店主の人柄でするような、不合理なことですよ。仮に「たくさん握手をしてくれた店主のラーメン」を美味しいとするなら、「ラーメンの鬼」と呼ばれた佐野実さんのラーメンは不味いということになってしまいます。だってあの方、**握手してくれなさ**

そう感がすごいじゃないですか。お店に行って「あの、佐野さん握手してください……」とお願いしても、**「なに言ってんだおまえ！　ラーメン食ったらさっさと帰れ!!」**とか怒られそうです。仮にラーメン総選挙が行われることになり、選挙参謀が「佐野さん、ちょっとはファンサービスで有権者と握手しましょうよ」とアドバイスしても、**「バカ野郎!!　客と握手してラーメンが美味くなるかよ!!　こっちは命がけでスープの仕込みやってんだ!!!」**とドヤされるでしょう。

実際、「店主が握手をしてくれたか」とラーメンの美味しさって、全然関係ないですよね？　逆に現役時代の佐野さんが笑顔を振りまいて喜んで握手するような人だったら、**美味しいラーメンを作れていなさそうです。**

ところが、この「店主が握手してくれたら美味しいラーメンということにする」みたいなバカげたことを、ラーメンよりもっと重要な、国にとって一番大事なポジションの人を選ぶ時にやってしまっているのが選挙なんです。なんなんでしょうか民主主義って？

最初に述べたように、普段政治に関わっていない人は、「政治と関係のない自分のジャンル」で日々時間とエネルギーを使い頑張っているからこそ、政治の知識や能力がないのは当然なんです。ただ、それは当然のこととはいえ、その畑違いの素人でも投票を通じて政治に参加できてしまうことで、**政治家のレベルまで大きく下がる**という悲劇が生まれます。

つまり選挙がある意味「ただの人気投票イベント」と化すことで、政治家、あるいは政治そのものが**ポピュリズム**に染まってしまうのです。

ポピュリズムというのは、日本語で「大衆迎合主義」と表現されるそのまま、**常に大衆からの評判を基準にして自分の方針を決める思想**のことです。

この原稿を書いているのは２０２３年ですが、とりわけ私はこの3年のコロナ禍で、日本の政治がどのような方向性で運営されているのかを、とてもよく理解できました。

新型コロナウイルスが登場してから、我が日本の権力者の方々は、感染を食い止めるために様々な対策を打ち出しました。

記憶に新しいところでは、２０２１年の年末に水際対策として各航空会社へ「国際線の新規予約停止」を要請。そして、国民の大反対を受け、**わずか数日で要請を撤回しました。**また、同時期の受験シーズン、若者の感染を食い止めるために「濃厚接触者は無症状であっても大学受験を認めない」という方針を発表。そして、国民の猛反発を受け、**わずか数日で方針を撤回しました。**また、デルタ株の時期には密集を避けるため鉄道各社に電車の減便を申し入れ、そして、**実際に運行を減らしたら逆に電車が混み、1週間で減便は中止になりました。**また東京都では、緊急事態宣言に伴い映画館や博物館へ休業要請を行っていましたが、**都民の反対を受け、営業が許可されることになりました。**

……………。

どうですか、みなさん？　**我が国の政治が、いかに力強い信念に基づいて断行されているかが、よくわかっていただけたのではないでしょうか(涙)？**

基づいてねえ。

全然信念に基づいてねぇ〜〜俺たちの国を動かしてる人たち(泣)。

これがまさに、**「ポピュリズム」の典型的な例**なんです。「ポピュリズムの典型的な例」が、ごく最近の我が母国の政治からこんなにたくさん挙げられる悲しさよ……。

感染対策というのは「恐ろしい病気の感染を食い止めるため」に行うものであり、本来ならばどんなに国民がギャーギャー文句を言おうと「今はあなたたちの命が大事なんです！　わかってください!!」と説得して続けるべきものでしょう。民の命を守るために打ち出した対策を、反対の数が多かったら**「あ、あれ？　みんなこの対策イヤだった？　ごめんごめん！　じゃあすぐやめるね♪」**とあっさり中止するって、なにを考えてるんですかこの国の偉い人たちは？

まあ、なにを考えてるかってそりゃあ**有権者の支持を得ること**なんですけどね。だって反対の声が大きい政策を続けていたら、**次の選挙で負けちゃうかもしれないですから。**

結局、**感染対策とかどうでもいい**んですよ彼らは。私はそれらの対策が有効なものだったとは露ほども思っていませんが、でも責任ある立場の人が「これが有効なんだ！　国民を守るんだ！」と考えて始めた対策ならば、どんなに反対を受けたってやり通さなきゃいけないんじゃないんですか？　**「これをやらなきゃ感染が増える！」と思って始めた対策をすぐにやめたら、感染が増えるじゃないですか。**それを反対が多いからあっさりやめちゃうってことは、彼らにとっては感染なんてどうでもいいんですよ。彼らが気にしているのは感染じゃなく、次の選挙で投票してもらえるかどうかだけなんです。

まあそういう点では**「常に有権者の多数派に支持されそうな選択をする」という力強い信念には基づいている**と言えますが……。基づかないでそんなものに……(涙)。

これがまさに、アリストテレスの言う衆愚政治なんですね。この「政治家はただ素人の有権者に従うのみ」という状況、これが国を滅ぼす民主主義です。

こうして見てみると、あらためてチャーチルの言うように「民主主義は最悪の政治システムである」のだなあと感じてしまいますが、さらに考えると辛くなるのは、**世界の**

民主主義国の中でも日本はとりわけ最悪であるということです。

なぜなら日本は、平均寿命が世界一長い、世界一の高齢化国家だからです。日本の民主主義は、**地球の歴史上でも類を見ない、極限のシルバー民主主義**になっているからです。

誰しも歳を取れば認知機能は衰えます。2020年の厚労省の発表では、65歳以上の高齢者の**4人に1人が認知症および軽度認知障害(MCI)を有している**とされています。それでも、高齢者全員に、1人1票の選挙権があるんですよ。**98歳の認知症のおじいちゃんおばあちゃんが、現役世代と同じ量の主権を持っているんです。**

車の運転免許証は、加齢で心身の機能が衰えたら返納することが奨励されていますよね？　でも、選挙権には返納のシステムがありません。どんなに思考力が衰えようがボケようが、生きている限り永遠に主権があります。国のハンドルを握る権利が、生物の宿命である「加齢」により脳の機能が衰えてしまった、有権者の多数を占める高齢の方々にあるんです。

みんな言い辛いでしょう、だから私が言いますよ。**認知の衰えたご老人からは運転免許証も選挙権も取り上げなきゃダメです。車のハンドルも国のハンドルも、正常な判断力がない人に握らせちゃダメです。取り返しのつかない事故が起こりますよ。**

失礼ながらご高齢の方々は思考力が衰えるだけでなく、10年先20年先の国の未来を現実的に考える機会も少ないでしょう。しかも、日本はこれからまだまだ高齢化が進むんですよ。ここ数年の自粛やらなんやらで高齢者のみなさまはより命を長らえる一方、出生率は絶望的に下がりました。

例えば、ある町内を走っているすべての自動車のうち、**半分以上はアクセルとブレーキをちょくちょく踏み間違える人が運転している車**だという状況だったら、そんな恐ろしい町に住みたいですか？　幸せですかその町の暮らしは？

今の選挙制度のままで高齢化がさらに進むということは、日本の政治がまるごとそうなりかねないということなんです。そんな国で子供を育てたいですか？　この人口構成で今まで通りの民主主義を続けて、日本に未来があると思いますか？

このミラクル少子高齢民主主義の袋小路から脱するためには、私は、**選挙権の持ち分を調節するべきだ**と考えています。**投票できる票数を、その人の能力に応じて変えるべきである**と、私は常々思っています。

単純に年齢に応じて変えるというのは、高齢でもそこらの若者よりずっと聡明な方もいらっしゃること、若者でも成人式の壇上で暴れるような人間離れした大バカがいることを考えると適切ではないでしょう。

そこで、運転免許証と同じように、**「選挙権を得るための試験」**を導入するのが良いと思います。政治の仕組みや歴史、基本的な法律や憲法や社会情勢についての問題を出し、基準に達しなければ選挙権はなし。反対に、高得点の人には点数に応じて2票、3票、4票と、複数の投票権を与えます。それを運転免許証と同じく更新制にし、定期的に票数を見直すようにします。

そうすれば、政治に関して無能な人に国のハンドルを預けるような危険は冒さずに済むことになります。有権者の政治的知性の平均値は一気に上がり、衆愚政治、ポピュリズムもかなり解消されるでしょう。

何度も登場する思想家ミルも、実は同じことを言っています。彼は、**有能な者には2票やそれ以上の権利を与えるなど、投票者の教育や能力の水準に応じて票数を変えるべきである、**と主張しました。しかも、**その複数投票制を取り入れないのなら選挙などやるべきではない**と。

全面的に賛成です。試験制を導入したら私だって選挙権を失うかもしれません。でも、私でも成人式で暴れる特攻服の若者でも、ちゃんと勉強して能力をつければ権利がもらえるのだったら、公平な仕組みではないでしょうか？　後期高齢者の方でも、聡明な方なら若者の何倍も票が持てるのですから。

社会主義体制で労働者が堕落してしまったように、勉強しなくても全員に平等に選挙権が与えられるようなゆるい環境では、誰も勉強しようとしないんです。でも「選挙権免許」を持っていることがある種のステータスとなり、就職活動やローンの審査などでも考慮されるようになれば、みんな頑張って勉強しようと思うでしょう？　そうして民主主義が愚民主主義ではなく**「一定以上の政治的な常識を持った民」主主義**になれば、政治の水準もグンと上がると思うのです。

ただ……、この方式の問題点は、少なくとも**日本ではまず実現不可能**であるということです。

仮に政権与党がこの制度を提案したとしたら、**「民主主義の根幹を脅かす愚策だ!!　国民の権利を能力によって制限するのか!!　許されざる差別行為だ!!　選民思想だ!!!」**と野党は大騒ぎ、そして次の選挙では選挙権を失いたくない人たち（おそらく主に多数派の高齢のみなさま）が一斉に野党に投票、政権が交代してこの件はなかったことになるでしょう。

この制度をもし導入するのなら、高齢化率がまだ低い時にやらなければいけなかった。若者や現役世代の意見がちゃんと反映される人口構成のうちに実現してしまわなければいけないものでした。日本はもう手遅れですね。

なんとか次世代の人々、あるいは今から500年後、民主主義誕生3000年を迎える頃までには、この欠点をうまくカバーする民主主義2・0や民主主義3・0がぜひ実現されていて欲しいなと、思う今日この頃です。

Chapter 3

認識

◎曖昧な現実をどう捉えるか

プロローグ

チャプター3で紹介するのは、「合理主義と経験主義」「スピリチュアリズム、オカルティズム」「愛国主義」「テロリズム」「構造主義」の5つです。

これらのテーマ、一見統一感がないように感じられるかもしれませんが、実は「私たちは世界をどのように捉えているのか」という点で共通した課題を含んでいます。我々はなにを事実とし、なにを現実だとしているのか。私たちにとって「本当のこと」とはなにか？

西暦が2000年を超えインターネットが普及し大抵の疑問は検索すれば答えが出て来る時代になりましたが、世の中には、まだまだわかっていないことがたくさんあります。

人類に文明が誕生したのはおよそ5000年前ですが、地球の誕生は46億年前です。

我々が比較的細かく知っている時間軸は、所詮46億分の5千……約分して92万分の1の歴史でしかありません。さらに地球について人類はそこそこ知っていますが、宇宙全体には1000000000000000000000個(100秭個)以上の星があり、つまり5000年の人類の英知を結集してなんとかそこそこ知ることができた部分も、宇宙規模で見れば100秭分の1の世界でしかないんです。100秭分の1の星における、92万分の1の歴史しか我々は知らないんです(星の数については諸説あり)。

そもそも地球の5000年分は比較的知っているつもりであっても、隣の家で3分前になにが起きたかということすら我々は知りません。実際には、私たちはこの世界のことなどなにも知らないのだと言っても過言ではないんです。

しかしそんな中で、私たちは私たちなりに、なにが事実で現実とはどういうものかを判断して生きていかなければいけません。私たちがそれぞれ「世界とはこういうものなのだ」と決めつけなければ、今日も明日も平穏に過ごすことはできませんから。「隣の家では今なにも大事件など起こっていないのだ」と無意識のうちに断定するから、私たちは心乱されず日々暮らしていけるんです。

では私たちが「世界とはこういうものなのだ」「現実はこうなのだ」と、認識する基準はいったいなんなのでしょうか？　あるいは、どのような基準で私たちは現実というものを捉えるべきなのでしょうか？

そんなもの、本の1冊や2冊で結論が出るわけがない課題ではありますが、このチャプターでなにかしらヒントとなる考え方を提供できたら良いなと思っています。

12. 合理主義と経験主義

私はこう見えて(バカに見えて)、哲学の本なんかも出しているのですが、「合理主義と経験主義」について最初に学んだ時の感想は、「哲学者って……、**暇なんだな**」でした。だって、「我々は『1+1=2』であることをなぜ知っているのか」とか、「我々が認識していない事象や物体は本当に存在していると言えるのか」みたいな、正解がなさそうな上に**「絶対ダメ! デートで避けるべき5つのNG会話!」の筆頭として挙げられそうな陰気なトピック**について、400年くらい議論し続けているんですから。

実はこの私の感想はそんなに的外れではなくて、今から2500年前に古代ギリシアで哲学が発達したのは、奴隷が働いてくれるようになりギリシア人が**暇になったから**だそうです。ズバリ、英語の「school(学校)」は、古代ギリシャ語の「schole(暇)」が語源とのこと。人間、暇になると余計なことを考え出すんですねえ。**ていうか「バカに見**

えて」ってなんだよっ!! 失礼じゃないかねキミっ!!（怒るのが遅い）

というわけでこの章のテーマは、合理主義と経験主義について。17世紀ごろに始まった、人の感覚や認知にまつわる思想です。

ごく簡単に述べると、例えば「1＋1＝2」を我々が理解できるのは、**「頭で考えればわかるからだ」とするのが合理主義**で、一方**「我々は人生において『1個の物と1個の物を合わせると2個になる』という事態を何度も見た（経験した）から理解できるのだ」とするのが経験主義**です。

計算だけの話ではありません。

例えばある日、道を歩いていたら目の前にパンツがヒラヒラと落ちて来たとしましょう。その時私たちは、瞬間的に「あれ、どこから落ちて来たのかな？」と思うはずです。「洗濯物が風で飛ばされたのかな？」とか「干している人が手を滑らせたのかな？」とか「誰かがドラゴンボールを7つ集めてギャルのパンティをオーダーしたのかな？」とか考えながら、頭上に目をやることでしょう。

私たちは、「物は上から下に落ちる」ことや、「風が吹けば物は飛ぶ」ことを知っています。なぜ知っているか？ 合理主義者、例えばデカルトやスピノザといった哲学者たちは、**人間はそういうことはもともと知っているのだ**と説明します。人間は高等な生き物なので、あるいは神が知恵を授けてくれたので、そういうことを理解できる「生まれながらの理性や知性」、すなわち**生得観念**があるのだと。

一方で経験主義の哲学者、ロックやヒュームなどは、「生得観念なんてものはない。我々は、日々を過ごす中で物が風に舞う風景や、『上で物を離すと下に落ちる』という現象を目にする経験を積んで、初めて『風は物を飛ばす』『物は上から下に落ちる』ことを学ぶのだ」と主張します。

これは科学的に正解を出すのは難しい議論だと思いますが、私は個人的に、「人間には、他の動物にない生得観念があるのだなあ」と感じた経験があります。

私の実家ではムクという柴犬を飼っていまして、彼は「わんわんビスケット」というおやつが大好きでした。

ある日、ムクが庭でボーッと寝そべっている時に、私はこっそり2階に上がっていって、2階のベランダから庭のムクに向かってわんわんビスケットを投げてみました。ビスケットはちょうどムクの目の前の芝生に落ち、ちょっとだけ前方に向かって転がりました。

するとムクは、「はっ」と気付いて起き上がり、芝生の上のビスケットをバリバリと食べ、そして……、また地面に寝そべり、ゴロゴロとだらけ始めたのでした。

私はそのリアクションを見て、**えーーウソォッ!!** とえらく驚いたことを覚えています。

私としては、①目の前にビスケットが落ちて来る　②「あれ、どこから落ちて来たんだろう?」とキョロキョロ上を見る　③私の姿を見て、「ああ、あんたが投げてくれたのね」と理解する　④食べる。というような反応を予想していたのです。それが実際は、①目の前にビスケットが落ちて来る　**②食べる**。だったんです。

例えば、あなたの大好物が麻婆豆腐だったとしましょう。ある日、あなたが公園のベンチに座って読書をしていると、**突然目の前に麻婆豆腐がボヨーン! と落ちて来ました。**その時、あなたは「えっ嬉しい、麻婆豆腐だ! **いただきまーす♪**」と、その麻婆豆腐をいきなり食べるでしょうか? そして食べ終わったら何事もなかったかのようにまた読書に戻るでしょうか?

そんなわけないですよね。普通だったら、**「なんじゃこりゃあああっ!!! なんで突然麻婆豆腐が目の前にっっ!!! えっ、どっから落ちて来たの? 誰かが投げたの? Uber Eatsが車にはねられて料理が宙を飛んだの!?」**と驚いてキョロキョロするはずです。まず人間なら、食べる前に麻婆豆腐出現の因果関係を調べようとするでしょう。まあ因果関係がわかったところで食べないでしょうけど。どんな事情にせよ、「あそうか、じゃあ食べよう」となるような事情でないことだけは確実だと思われます。

しかしそれがムクの場合は、誰もいない庭で突然目の前に好物が落ちて来たら、**ただ「ラッキー♪」と思って食べる**のです。

これは決して、ムクが「物が落ちる」という現象を体験したことがないから物が上から下に落ちることを知らない、というわけではないんです。時々散歩中にムク自身がドブに落ちていたし、私がボールを投げてムクが追いかけるという遊びも何回やったかわかりません。しかも対面でビスケットを投げてやれば、ちゃんとムクは落下地点でキャッチ(口で)できるのです。つまり、「物が落ちるという現象」にムクは無数に触れて来ているということになります。

にも関わらず、今回目の前に突然ビスケットが登場しても「どこから落ちて来たんだろう?」とならず、**「おおっ、わんわんビスケットが突然現れた! ラッキー!!」**となった。

となると、もうそこは経験の問題ではなく、生得観念があるかどうかの問題な気がするのです。同じような経験をしても、「なんでそうなったんだろう?」という因果関係の疑問が動物には生まれず、人間にだけ生まれる。ということはつまり人間にはもともと他の生物とは違う理性、生得観念があるということなのではないでしょうか?

と、今は天国でビスケットを追いかけているムク先生の振る舞いを思い出し、私は合理主義の主張を知った時に妙な納得感を覚えたのです。

が、しかし。

一方で、経験主義者の見解にもまた、そっちはそっちで「たしかにその通りだ！」と納得させられる部分もあるんです。

経験主義者の主張は、「人間のすべての知性や理性は経験に由来する」というものです。イギリスの哲学者ロックは、**「我々人間はみな真っ更な白紙の状態で生まれ、そこに経験によってのみ知識や理性が書き込まれるのだ」**と述べました。

言われてみれば、そうですよね。人間の赤ちゃんなんて、いかにも白紙っていう感じがします。あのピュアさは**白紙かタブロイド紙かで言ったらどう考えても白紙の方**ですし、また一方で、床をベロベロ舐めたりゴミを食べる姿からは生得観念の気配など微塵も感じられません。

赤ちゃんなら、突然目の前に麻婆豆腐が出現しても、「いやあっどこから出て来たのおおおっ(涙)!?」などと因果関係は問わず、ムク先生と同様「あ、ごはんだ！　ラッキー！」と普通に喜んで食べるのではないでしょうか？

いや、赤ちゃんは麻婆豆腐は食べません。消化機能の問題で。ので別の例を考えると、「『いないいないばあ』で喜ぶ」というのがおそらく赤子界での似たシチュエーションではないでしょうか。「いないいないばあ」の時には、赤ちゃんはママやパパが本当に消えてしまったと感じるそうです。だから、「ばあ！」で顔を見せるのは、赤ちゃんにとっては「なにもない空間からママやパパが突然現れた」という認識になるんです。

自分の部屋のなにもない空間から突然誰かの顔が現れたら、大人なら**「ぎゃあああああ怖いっ（涙）!!! オバケが出たっ!!! 助けてっ誰かあああっオギャー（号泣）!!」**と錯乱して家を飛び出し、陰陽師に除霊を頼みに行くのではないでしょうか？　しかし赤ちゃんの場合は動じることなくエクソシストに通報することもなく、「ばあ！」のところで素直に笑うんです。

つまり、赤ちゃんはまだ「突然目の前に好きな物が現れても疑問を持たずに喜ぶ」というムク先生なみの知性の段階であり、因果関係など理解していないことになります。となると、生得観念などないということになる。「人はみな生まれた時は白紙であり、知性は経験によってのみ得られる」という経験主義の主張がとても理に適ったものに思えて来ます。

こうして考えてみると合理主義も経験主義もどちらももっとも、五分五分の説得力だなあと感じるのですが、実は経験主義の方にはもう一段階進んだ、というかいくぶん突飛な主張をする哲学者もいます。**「我々が認識していないものは、存在しないのだ」**というのがそれです。

経験主義の「何事も経験してみなければわからない」という方針は前向きで良いのですが、それを突き詰めると「経験がすべてであり、経験以外は無価値」となり、さらに究極的には**「今経験しているもの以外はなにも信じない」**というところまで到達してしまうんです。

例えば「物が落ちる」ということについて、哲学者ヒュームはこう考えました。「今、皿から手を離したら、皿は床に落ちた。前回も皿は落ちた。しかし、**次に手を離したら、皿が月に向かって飛んでいくかもしれない**」と。

「今(あるいは今まで)物が落ちたからといって、それは**『今物が落ちた』という経験をしただけであり、次の結果は次に経験してみるまでわからない**」というのが彼の見解です。それは要するに次回は手を離しても空中に留まるかもしれないし、月を目指して飛んでいくかもしれないし皿が「皿(サラ)ンヘヨ！」と愛を囁き出すかもしれない、ということなんです。

それほどまで「今この瞬間」しか信用しないので、ヒュームなど極端な経験主義者の方々は、「今自分が見ていないものが存在する保証などない」とまで言います。例えば、皿が目の前にある時には「皿が存在する」と確かに言えるが、**皿から目を離している時**

目を離している時に「皿が存在する」と言えるのか？

に皿が本当に存在するかはわからないと。

そもそもなにかが「存在する」というのは、**私たちがそれを認識することで存在が発生している**のであり、逆を行けば、**私たちが認識していないならば、その対象は「存在しない」あるいは「存在が不明である」**のだというのが彼らの主張です。哲学者ジョージ・バークリー曰く、**「存在とは、知覚である」**です。

これ、言われてみればそうだなと思うんですよね。

何度か書いたように、私は顔に似合わずたまに乱心して大陸を横断するような旅に出たりするんですが、例えばアフリカを北上しながら次の町、また次の町と移動していく時に、私は「今まで『無』だったものが次々に存在し出す」という感覚を日々味わっていました。

私がザンビアからマラウィに入国し、バスでリロングウェ、ムズズ、ンカタベイ、カロンガと順番に移動すると、そこで初めて私の世界にリロングウェ、ムズズ、ンカタベイ、カロンガという町が存在を始めるんです。

だいたい、マラウィという名前の国があることすら私はアフリカに行くまで知らなかったのです。生まれてから25年間、リロングウェやンカタベイどころかマラウィという国とその国土や国民まるごと、私の世界には存在しませんでした。しかし26年目に私がマラウィを訪れたら、そこで突然マラウィの人々や町や村が「無」から「存在」に変わったのです。

アフリカでは夜空がそれはそれは綺麗だったのですが、夜行バスがエンストして草原に出て待機しているような時、私は空を見上げながら、「あの星のうちのひとつに宇宙人が住んでいるとして、しかし我々人間が一生その存在を認識しないとしたら、それは『存在している』ことになるのだろうか?」なんてことを考えていました。

なにしろスマホもない時代で、コンビニどころか人工物が道しかないアフリカの草原ですから、**古代ギリシア以上に暇**なのです。古代ギリシアならまだアゴラ(広場)で討論とかできたはずですが、私はニャンジャ語とかトゥンブカ語とか使えませんから、他の乗客とも話せません。というか**暗闇の中で他の乗客のみなさまの存在を認識することが**

です。

難しい。そりゃあ無学の祖といえど、暇を持て余して哲学的な妄想も始めるというもの

もちろん反対に、あの星に住む宇宙人からしたら地球の存在ごとまるごと無なわけで、またマラウィの人々からすれば地球の裏側に住む私の存在なんて無なわけで、だとしたら、この私は存在していると言えるのだろうか？　あるいは、私が死んだ後にも世界は存在すると言えるのだろうか？　今この世界があるのは紛れもなく私が認識をしているからで、私がこの世から消失し、私という「物事を認識する主体」が消えてしまったら、私のいない22世紀や50世紀や130世紀の世界というのは存在するとみなして良いのだろうか？　……ということも、アフリカの草原で私はしみじみと考えていました。**古代ギリシア人が暇になったから哲学が発達した、というのがとてもよく理解できます。**

今現在地球上の誰も認識できない、「100億光年先にある星の文明社会の1000年後の姿」というのは、「存在が不明」というよりはむしろ「そんなものは存在しない」と言った方がしっくり来るような気がします。

であれば、私の世界は所詮「私が認識する世界」でしかないのだから、私が認識していないロシアの森林にいる動物も、私が認識していない山形県の県境にある村も、私が認識していない自分の家から2km先にあるコンビニも、認識していない限りは「存在し

ない」と言えるのではないか？　と思ってしまうのです。いや、存在を認識しているはずの１００ｍ先のコンビニでさえ、買い物に行ったら「テナント募集中」となっていて**「ウソ!!　このローソンなくなっちゃったの⁉　10日前はまだ営業してたのに!!」**とショックを受けることがあります。そのローソンが閉店したとは露ほども思っていなかったのですから、私は誤認識によって本当は存在していないコンビニを約10日間私の世界に存在させてしまっていたことになるのです。

それならば、**「今この瞬間に認識しているもの以外の存在など不明なのだ」**という経験主義の発想はわりと的を射ているなあと感じる次第です。

それではこの経験主義の発想を頭の片隅に置きながら、次章からまた別の思想・主義に目を向けてみたいと思います。

13. スピリチュアリズム、オカルティズム

私が一番好きな大河ドラマは、坂本龍馬を主人公にした「龍馬伝」です。

龍馬伝の中で、重い病に冒された高杉晋作（たかすぎしんさく）が、龍馬に向かってこんなことを言うシーンがありました。

「坂本さん、日本を頼みます。僕の出番はもう終わりです。あとは酒を飲んで三味線を弾いて、面白おかしく暮らしたい。あの世でね」

自分の死を悟った高杉晋作が、戦いに明け暮れる人生はもう終わり、先にあの世で楽しくやっているよと龍馬に語りかけるのです。

私は晋作のその言葉に、それまでの彼の生き様を振り返ってじんわりとしながら、「いや、あなたがあの世に行ったら、**今よりずっと戦いに明け暮れる日々になるんじゃないでしょうか**」と思ったものです。

不本意ながら筋道立てて考えるとそうなりました。高杉晋作が死んだ後に「あの世」という場所に行くことができるのなら、他の人間だって同様に行くことになる。それなら当然、**晋作に焼き討ちされた英国公使館の関係者や、第二次長州征伐で砲撃されて海に沈んだ幕府軍の兵士達**もいっぱいあの世にいるはずなのです。となると、**戦いの人生も第二ラウンドでもう一度スタート**なのです。

あの世ではみんな穏やかになって戦わなくなるなんてことはありません。むしろ平将門や崇徳天皇のパワーアップぶりを見ればわかる通り、死後は**みんな余計な力を身につける分さらに厄介になる**というのが実際のところだと思います。現世で晋作に焼かれたり沈められたりした人たちは「殺された恨み」というとてつもない敵意を抱いていますし、幕府側は**徳川家康まで遡って勢揃い**しているわけですから、晋作は本多忠勝とか黒田官兵衛みたいな歴戦の強者まで相手にすることになります。しかも、**全員もう二度と死ぬことはないので、無限に戦いが続く**のです。残念ながらあの世では、むしろこの世が天国に思えるくらい、この世より遥かに怨念渦巻く戦いの日々を送ることになるでしょう。酒飲んで三味線を弾くような暇があるわけありません。**5分おきに敵襲**ですから。

……………。

というように。

こんなことを考える私は、ある意味**スピリチュアリズム**や**オカルティズム**に親しみを抱いている人間だと言えるかもしれません。

スピリチュアリズム、オカルティズム、違う言葉ですが意味はおおむね同じです。大辞林によれば両方とも「霊の存在を信じて降霊や交霊の研究をする思想」ということ。ただ、スピリチュアリズムが心霊を中心にするのに対して、オカルティズムは占星術や錬金術なども含め「超自然的な力全般」を扱うようです。ということは、「宗教」は死も扱うし現世での幸運祈願なんかもするわけなので、定義としてはオカルティズムに属するものになりそうです。

そう考えるとオカルティズムは、もはや日常の一部であると言えるくらい、人間の社会に溶け込んでいるような気がします。

とりわけ海外では溶け込みの量が多いですね。イスラエルでは「嘆きの壁」という聖地の城壁で毎日ユダヤ教徒が祈りを捧げているし、インドではガンジス川の川辺に毎日ヒンズー教徒が集まって儀式を行っているし、イスラムの国々では毎日早朝から「アザーン」という大音響のお祈りの放送で叩き起こされます。

また、私はジンバブエの安宿で全財産を盗まれたのですが、ショックで気を失いそうになりながらも助けを求めて警察署に駆け込んだところ、「大変だったな。それじゃあ、**山奥に予言者のばあさんが住んでるから、彼女に犯人の居場所を占ってもらって来い」と警察から指示された**ということがありました。そして私は指示通り予言者に会いに行き、おばあさんの体に憑依(ひょうい)した精霊と話した結果もちろん1ミリも事は解決しませんでしたが、**「このネタを本の中で後生使い続けて損を取り戻してやる」と固く心に誓ったものです(このエピソード本に書くの68回目)。**

海外だけでなく日本でも、ノストラダムスとかパワースポットとか新興宗教とか、常になにかしらオカルティズムなものが話題に上っているような気がします。

なんでも、社会学では、近代の人類は**「再魔術化」**しているという論説があるそうです。

日本でも卑弥呼の時代には呪術信仰があったように、もともと人類は世の中の多くの事柄を、神話や超自然的な力と結びつけて考えていました。しかし文明の発展とともに、自然現象や病気などほとんどの事象に科学的に説明がつくようになり、人々は神話的なストーリーとは距離を置くようになりました。まずこれを「脱魔術化」と呼ぶそうです。

ところが、科学が発展することで、逆に希望を失う人々も出て来たのです。例えば資本主義経済によって、人と人との間に大きな格差が生まれるようになりました。呪術信仰の時代であれば、競争に負けて苦難を味わっている人でも「きっと神様が救ってくれる」とか「天国では幸せになれる」とか、信じることで救われる部分もあったでしょう。しかし科学が発達して人類が宇宙まで出て行けるようになったら、**少なくとも雲の上に神様は住んでいないし、太陽系には天国なんてものもない**ということがわかってしまったんです。じゃあ神様が自分たちを救ってくれることはないの？　自分の人生は今後報われることもなく、ただ無駄な苦しみに耐え続けなければいけないのか……？

　というように、人類が社会を発展させたことで、むしろわずかな心の拠り所まで失う人たちがたくさん現れてしまった。

　そこで、でもやっぱり絶望しながら生きるのはイヤだ。俺たちは希望が欲しい。信じられるものが欲しいんだ‼　と、文明が成熟するにつれむしろ反動で人々がオカルティズムに回帰したりする。そのような傾向が、**「再魔術化」**と定義されるそうです。

　オカルト的なものが流行るのは単に「面白いコンテンツが増えたから」とか、様々理由はあるでしょう。しかし社会の富が偏って物心両面で貧しくなる人が増えたことで、宗教やスピリチュアル的なものに頼る人も増えたのだろうなあ、とは私も思っています。

　とてもよくわかるんですよ、その気持ちが。だって、**私がＡＫＢ劇場に通う行為もまさに信仰みたいなものですからね。**冷酷な資本主義社会に切り裂かれた心の傷を癒すために、**私は偶像を崇拝しているんですよ。**もはや雲の上に神はいませんが、**AKBには神7（かみセブン）という神がいるのです。**グループを卒業しても神は神なんだから。

推しメンの生誕祭（せいたんさい）で、ペンライトを振りながら**「ちょうぜつカワイイ〜、くるる〜ん!!!」**とおじさんヲタが一丸となって叫ぶ光景、ぜひあなたにも見て欲しいです。きっとみなさんも、**ああたしかに日本は再魔術化しているなあ**と、実感されるのではないかと思います（号泣）。

さて、信仰（信教）の自由というのは憲法で保障されていますから、オカルティズムに傾倒しようがどの宗教を信じようが自由なわけですが、ただ、「対象を冷静に見て、『自発的に』信じているかどうか」というのは重要なポイントだと思われます。

というのは、世の中には**「恐怖説得」**を用いて他人の信仰心を操ろうとする人や組織が存在するからです。

まあ、推しメンに大興奮して**「超絶かわいいくるる〜〜んッ♡♡」**とか叫ぶような奴が**どの口で冷静とか言ってるんだ**というご批判はあるでしょうが、そのご批判は甘んじて受け流すとして、恐怖説得というのは**「〇〇をしないと怖いことが起きるよ」**と、相手を揺さぶって誘導するテクニックのことです。心理学でよく使われる用語です。

恐怖説得は、人を動かすためにわりとそこかしこで使われている手法です。ゴールドじゃない免許の更新に行くと、「一瞬の不注意による事故で人の命を奪ってしまったおじさんが仕事を失い家族にも見捨てられ毎夜悪夢にうなされ破滅するストーリー」みたいな映像を見せられますが、あれはまさに「安全運転しなかったら大変なことになるぞ」という恐怖説得です。

子供の躾(しつけ)では、「ごはんを残すともったいないオバケが出る」とか「ウソをつくと閻魔様に舌を抜かれる」みたいな恐怖説得が使われていますね。秋田のなまはげもそうです。**「泣く子はいねぇが〜！　悪い子はいねぇが〜！」**とわめきながら、号泣する幼児に包丁を持って襲いかかるあの化け物。私はあの光景を見るたびに、**「いや泣かしてるのはおまえやっ!!!」**といつもツッコみたくなるのですが、ともかくあれも**「良い子にならないとあの鬼みたいなクリーチャーに包丁で惨殺される」**と子供に思わせてしつけるという、紛れもない虐待恐怖説得です。※ただしなまはげが包丁を振り回すのは、子供を脅す以外にも厄や悪疫を払うという意味合いもあるのだそうです

ただ、恐怖説得は正しい目的でマイルドに使われるのなら良いのですが(じゃあなまはげはダメだよね)、時として宗教によるマインドコントロールで使われてしまうこともあり、これが非常に良くないのです。

ありがちなのが、「世界はもうすぐ終末を迎える。**ただし、この宗教の信者になれば救われる**」という勧誘の文句です。あるいは「お布施をしなければ不幸になる」とか、「布教活動に励まなければ地獄に落ちる」とか。そういう悪質な使い方でも効果が出てしまうのが、恐怖説得のすごい(恐い)ところです。

経験主義では、**「存在とは、知覚である」**という考え方がありました。「存在すること」は「認識すること」と同意であり、ある物や事が存在するかどうかは、「認識しているかどうか」でしかないのだと。私がその物や事を知覚していないならばその物や事は私の世界には存在しないし、反対に、たとえ自分以外の全員が知覚していない事象であっても、私さえそれを認識しているならそれは存在することになるんです。

だから宗教の勧誘あるいは修行過程において、「もうすぐハルマゲドンが来るぞ!」「お布施しなきゃ地獄に落ちるぞ!」と脅され、ひとたびそれを信じ始めてしまうと、その途端にその人の世界には本当にハルマゲドンや「お布施をしないと地獄に落ちるという事実」が存在することになってしまうんです。

最初はボンヤリとした認識でも、洗脳が進めば徐々に眼鏡の度が強くなるように、くっきり具現化されるようになります。「恐怖の対象」の認識が進めば存在も巨大化し、恐怖心も際限なく増すことになります。結果、その恐怖から逃れるため教祖や教義に対する依存が深まり、身を滅ぼすことになるのです。

存在とは知覚であり、認識が存在を生むというのは、「プラセボ効果」でも証明されています。例えば、まったく同じ成分の薬を「これは『高価な』痛み止めです」と伝えて飲ませたグループと、「これは『安い』痛み止めです」と伝えたグループでは、高価な薬だと思って飲んだ方が2倍の痛みの緩和作用があったと報告されています。あるいは栄養ドリンクを被験者に飲ませる実験でも、中身はまったく同じなのに、値段の設定を高くすればするほど「疲労が軽減した」と被験者が答えるようになったという研究結果もあります。

他にも、薬を飲まないと不安なお年寄りに、「これはよく効くお薬ですよ」と説明してブドウ糖などで作った偽薬を処方すると、ちゃんと本物の薬と同じ効果が出ることもあります。

このように、本来なら機能的には存在しない薬効も「これは先生が効くと言ったから効くのだ」と認識すれば存在を作り出して体を治してしまえるし、一方で恐怖心からハルマゲドンや地獄を存在させてしまうと身を滅ぼすことにもなるという、いずれにせよ**劇薬**と呼べるくらい大きな力を持つのが「認識」なのです。

現在日本では世界から周回遅れでようやくコロナ騒ぎが落ち着きつつありますが、最近、私はあらためてこの「認識の力」というものを噛み締めています。

今年の春に、具体名は避けますがある大手のカフェチェーンが、従業員のマスク義務を撤廃しました。日本のカフェも3年越しでやっと「人の顔が見られる」という、人類としてあるべき姿に戻ったわけです。

ところがそのカフェについて、SNSではこのような書き込みがなされていました。

「〇タバの店員がマスク外してる……まじで勘弁してくれよ。気持ち悪い」「ス〇バの店員、ノーマスクで客に喋りかけて来てドン引き！」「近所のスタ〇に行ったらバリスタがノーマスクだった。飛沫飛びまくりじゃないか。意識が低すぎる」「〇タバの店員が私のフラペチーノ作る時、ノーマスクだった。飛沫付きのフラペチーノ、捨てたい」「ノーマスクで商品名と共に『お待たせしました〜』とか叫ぶス〇バ、意味不明。店員の飛沫トッピング頼んでないんだよ」 etc.…

よかったらみなさんも検索してみてください。店名の部分は伏せ字にしましたが、**勘の鋭い方ならどこのチェーンかわかったと思いますので、**「スタ〇」「マスク」などで検索をかけるとこんな書き込みがいくつも確認できると思います。

ああみんな、**恐怖説得にやられて見えないものが見えるようになってしまったんだな**と、私は気の毒に思いました。

まさしく２０２０年から、日本人は全員が恐怖説得の対象となっていました。喋ったら恐ろしい飛沫が飛びますよ、マスクをしないと大変な災厄（さいやく）に見舞われますよと、３年もの間恐怖を与えられ続けた結果、一部の人たちは**「人間は常に口から毒物を放出しており、口を隠さなければハルマゲドンが起きるのだ」**という認識を持ってしまったのです。それまで何十年もそんなものは存在しなかったのに、ひとたび恐怖説得に煽られてその**毒飛沫を認識↓存在**させてしまったが故に、「顔を見せて暮らす」という人間らしい日常を送ることも難しくなってしまった人たちがいるのです。

余談ですが、イギリスの保険会社がスマートフォンの表面の汚染度を調査したところ、１平方センチメートルあたりの菌量が**平均してトイレの便座の10倍**という数値だったそうです。**我々の持っているスマホは、おおむね便座の10倍汚いんです。**でも、このスマホ表面の汚染はほとんどの人が存在させていないのではないでしょうか？　マスクや消毒を毎日一生懸命するような衛生観念の高い方も、**便座の10倍汚いスマホはなんの抵抗もなく四六時中撫で回しているのではないでしょうか？**

ウイルスや衛生にとことんこだわる人たちが、それならば真っ先に排除しなければならないスマホは常に身につけ一番密に触っている……。そんな人々の矛盾を見て、**やはり存在とは知覚であるのだなあ**と、経験主義者たちの言葉の重みに唸らされた次第です。

人というのは「正しいもの」ではなく「自分が信じたいもの」を信じるようにできており、なにを信じようがなにを存在させようが個人の自由ではあります。しかしそれは「他人による恐怖」に煽られてではなく、「対象を冷静に見て、自発的に信じる」ことが大事だなあと、私はここ数年の愚かな騒動を見て特に強く感じています。

14. 愛国主義

前章までと少し毛色が変わりまして、この章のテーマは**「愛国主義」**です。愛国主義とは、**「愛国心を持ち、国のために尽くそうとする思想」**のことです。

ただし愛国の対象となる「国」は、「国家としての日本」と、「自分の家族や友人、生まれ育った町や自然」などを想定する「郷土としての日本」という2種類に分類でき、前者に比重を置くのが「ナショナリズム」、後者は「パトリオティズム」となります。

とはいえその境は曖昧だと言われており、私も二者の違いはあまり感じません。「自分の国」という存在を強く意識するのはなんと言っても海外にいる時が多いのですが、日本の外で頭に浮かべる「日本」は、いつもその両方のミックスです。

例えば国境行きのバスが8時間くらい遅れたり、トラックの荷台に詰め込まれてサバンナをまる2日かけて移動したり、ジャングルで100箇所以上蚊に刺されたり雪原地で冷蔵庫より寒い部屋に泊まることになったり、電気がなかったり水道もなかったりトイレが汚物まみれだったりゴキブリに体を這われたりひったくりに遭ったりスリに遭ったりお漏らししたりＥＲで手術を受けたり……（なぜそんな目に遭うのか）、そういう辛い時、「日本に帰りたいよぉ〜〜〜（号泣）」と泣きながら思い浮かべたのは、「自分の家もあるし家族も友人もいるしインフラも整っているし電車のダイヤも正確だし公共サービスや福祉も充実しているし治安が良くて夜でも出歩けるしトータルで世界一過ごしやすい日本」なんです。郷土愛も日本という国家への愛も、全部一緒になっています。

オリンピックで真央ちゃんや愛ちゃんや結弦（ゆづる）くんなんかを応援するのも、「日本という同じ郷土を持つ仲間」であり、なおかつ「日本という同じ国家に所属する同志」であるからという、両方の意識が働いているように思います。

まあそんな曖昧な区分ではあるんですが、そこを強いて前者後者の違いを探してみると、**「郷土への愛」はそこまで個人差はないが、「国家への愛」の強さは人によって、住んでいる国によって全然違う**という点は挙げられるかと思います。

日本というのは、他国と比べれば国民の愛国心は強くない国です。郷土愛はみなさん持っているでしょうが、ナショナリズム的な「国への忠誠心」のようなものも含めた愛国心（特定の政権への支持ではなく、全体的な「日本国」という仕組みへの好意）で言えば、圧倒的に他国より弱いと感じます。

　じゃあ他国ってどこよ？　というと、とりわけ私が愛国心が強い国だと感じたのは、断トツで**北朝鮮**です。

　北朝鮮への旅行は現地のガイド（兼監視役）さん同行で、ガチガチに組まれたスケジュールをこなすことしかできないんですが、私の経験したそれは全体を通して「北朝鮮の人々の愛国心をひたすら見せつけられる行程」でした。

　そもそも彼らは大人から子供まで全員が、上着の襟に建国者とされる「金日成（キムイルソン）」の写真入りバッジをつけています。旅行者は初日に必ず「万寿台（マンスデ）の丘」に連れて行かれ、金日成と金正日（キムジョンイル）の巨像に献花を捧げなければいけません。丘には国内各地からも人民が集まっていて、献花の大行列ができています。

　夜遅くまで完璧に仕事をこなすガイドさんに「お仕事大変じゃないですか？」と聞くと、「とんでもない！　国のためですから、喜んで働きますよ！」とキラキラした目で答えます。接客してくれた女の子に「北朝鮮の女性はどんな男性が好きなんですか？」と通訳を介して聞くと「国家のために献身的に働く人が好きです！」と返って来るし、カラオケに行けばガイドさんは**「たとえ日帝の非道な圧力があろうと〜〜私は祖国と偉大なる金日成主席を愛し続けます〜〜〜♪」**という歌詞の歌を、重々しく歌い出します。

私は歌は苦手なのでカラオケは鳴り物専門なのですが、「非道な日帝〜〜偉大なる金日成主席〜〜」の重厚な歌は**どのタイミングでマラカスを振ってタンバリンを叩けばいいか（そもそも鳴り物で入っていっていいのか）**、大いに戸惑いました。

娯楽のカラオケで祖国と建国者を讃える歌を歌うって、すごい愛国心じゃないですか？　いくら外国人観光客を連れているからって、日本でカラオケに行って**「我々は誇り高き日本民族〜〜！　崇高なる神武天皇〜、勇ましき万夫不当（ばんぷふとう）の日本武尊（やまとたけるのみこと）〜〜!!」**みたいな歌を歌う日本人はいない気がします。そもそも**そんな歌などない。**日本の歌なんて**「おなべの中からインチキおじさん登場☆」**とか、**「恋をするたび胸、ボンボバボン♡　アイヤイヤ〜〜♪　アイヤイヤ〜〜♪」**てなもんですからね。**愛国心では北朝鮮に惨敗と言わざるを得ません（勝負してないけど）。**

もちろん北朝鮮の人々は、愛国を強制されているという面はあります。金日成のバッジを全員がつけるのも、国からそうしろと命令されているからつけているわけで。

ただ、彼らは生まれた時からずっと北朝鮮国家、および金日成や金正日への敬愛の行動を強制され続けることで、本当に愛国の士となったのだなあと感じました。最初は他者から強いられた「無理矢理の好意」でも、時間が経てばそれは洗脳となり、いつしか「本物の好意」に変わっていくものです。

これはいろんな「推し」を作る流れに似ているのかなと思います。芸能人もそうですし、サッカーチームとかアニメキャラとかお酒とか歴史上の人物とか観光地とか、人はそれぞれいろんな「推し」を持っています。その推しというのは案外「自分はどこを（誰を）好きになろうか？　よし、これに決めた！」という作為的な流れで決定されることも多いんですよ。私が子供の頃はプロ野球の全盛期で、「男子たるもの好きな野球チームくらい決まっていなければならない」という空気感があり、私も無理矢理推しチームを作っていました。

しかし無理くり作った推しでも、「推しになったからには少しくらい推しのことを知らなきゃ」と中継を見たりグッズを買ったり雑誌で勉強したりしているうちに、自己洗脳が進んでいつしか本気で好きになってしまうんです。北朝鮮の人々が強制から始まっていつしか金一族を本気で崇拝するようになっているのも、この心理と同じではないかなと思います。もちろん、「あ、この人はわりと冷めてるな」と感じる北朝鮮人も中にはいましたけどね。

さて、それではなぜ北朝鮮はそこまで国民にゴリ押しで愛国心を植え付けようとしているのか？　という点、それは、**愛国心が強いと、国の運営が稚拙でも民の不満が抑え**

られるからです。

北朝鮮は、かなり困窮している国です。そもそも社会主義の国では資本主義国と比べて生産力が落ちる上に、金一族と一部の労働党幹部による富の独占により経済は瀕死状態です。

そんな状態ではデモのひとつや暴動の千つ(せんつ)でも起きそうなものですが、しかしそこで指導者や国家への敬愛の情が浸透していれば、「まあ偉大なる将軍様のためなら仕方ないか」と国民が不満や苦しみを抑えてしまうのです。

そのように国家にとって都合の良い愛国心は、指導者がいかに偉大であるかの物語を刷り込むことでも育てられますし、同時に、**外敵の存在を煽る**ことでさらに強化することができます。

社会学や心理学でよく用いられる言葉に、「内集団」と「外集団」というものがあります。

内集団は、趣味や好みが同じだったり同僚だったり親戚だったり、いわゆる自分が「仲間」だと認識しているグループです。それに対して外集団は、現時点で仲間ではない、「他者」だと感じている集団です。

そして、私たち人間には、**外集団を自分たちの敵だとみなし、その敵に立ち向かう時**

に内集団の結束が大きく高まるという性質があるんです。さらには、「共通の敵がいる」という共通項を持つことにより、**もともとは互いに外集団だとみなしていたグループ同士に仲間意識が生まれ、ひとつの内集団となることすらあります。**

これは日本でもわかりやすい例があります。江戸時代の日本は、薩摩だ会津だ長州だと各藩がまるで違う国かのように敵対し合い、争っていました。ところが、幕末にペリーと黒船というとんでもない脅威が現れたことで、「こりゃいかんぜよ‼　薩摩だ長州だと、身内で争っている場合じゃないぜよ‼」と、志士達に「自分たちは日本人である」という自覚が生まれ、日本はひとつの国としてまとまることになったのです。

おそらくみなさんも、あまり関わりがなかった同僚と、セクハラ部長や意地の悪いお局様の悪口を一緒に言うことで意気投合したような経験があるかと思います。私もSNSでアンチとバトっている時に（よしなさい）、味方してくれる人が現れると全然知らない人であっても急に仲間意識が芽生えることがあります。「共通の敵を持つ」ということはある意味「同じ趣味」や「似たような思想」を持つことでもあるため、その敵を共にする立場の人々は仲間となり結束が高まるのです。

だからこそ、**政府が国民の愛国心を高めたい時には、仮想敵国を作り、なおかつその敵がいかに悪いかを執拗に喧伝する**んです。最初は国民が自国の政府を「外集団」だとみなしていても、共通の敵が登場することで国民と政府が同じ内集団となり、結束が高まる……つまり国民が政府に忠誠を誓うようになるのです。

なお、北朝鮮では朝鮮戦争で戦ったアメリカが最大の外敵とされていましたが、中国では「国民をまとめるための仮想敵」として日本が設定されていました。少なくとも10年前頃には。

中国で長距離バスに乗った時、2回に1回は前方のモニターに抗日映画が流れていたことを覚えています。極悪な日本兵の人質になった農村の娘さんが、**「私はどうなってもいいの！　私に構わず、この小日本鬼子をやっつけて(涙)!!」**と叫び、娘のお兄さん(主人公)が隙を突いて日本兵を銃撃、でも**なんやかやで結局娘さんも巻き込まれて死亡。**日本鬼子と一緒に骸(むくろ)となった妹を抱擁し泣き崩れ、日帝へのさらなる憎しみを燃え上がらせる兄………みたいな映像を何回見せられたことか。

まあこのように、「政府の求心力が衰えてきたら(あるいは衰えないように)外敵を創作し国民を怖がらせる」という作戦は、世界各国で行われています。

日本も例外ではない気がするんですよね。21世紀に入ってから、「嫌韓ブーム」などという言葉が生まれてしまうくらい、日本人にも近隣諸国に敵対心を抱く人が増えています。日本の場合は政府主導ではないものの、２００１年以降急激に国が貧しくなっている(1人あたりのGDPは2000年に世界第2位→2022年は第31位まで大転落)ことで、日々の暮らしの不満から気を逸らすために**人々が自主的に外集団の仮想敵を作っている**という側面もあるように思います。もしかしたら我々にはわからないように、裏でこっそり政府が糸を引いていたりして……。

ただ、こういう「内集団の結束を高めるためにあえて敵を作る」という手法は、実は非常に危険なやり方でもあるんです。

先ほど「推しを無理矢理決めてもそのうち本当に好きになる」という例を出しましたが、その作用は「嫌い」の方にもまったく同じように起こります。最初はただ「他のものから気を逸らす目的で」強引に作り出された嫌いの感情も、その気持ちを公言したり長く保持することで、いつしかしっかり定着した「本物の嫌い」になってしまうんです。

なにしろ、「存在とは、知覚である」のですから。存在するということは、認識することなんです。本来は架空のものであっても、それを本物だと認識すれば、それは認識者の世界では本物になってしまうんです。

「予言の自己実現」という言葉があります。これは、**本当はそんな事実はないのに、その事実があると人々が思い込むことによって、その思い込み通りの事実が作られてしまう**という現象です。

日本での有名な「予言の自己実現」が、１９７３年のオイルショックによる紙不足です。本来、オイルショックによって紙の生産が影響を受けるような事実はなかったのに、ある団地で「トイレットペーパーが買えなくなるらしい」という根拠のない噂話が広がり、それを聞いた人が「本当かどうかわからないけど、本当だったら困るから念のためトイレットペーパーを買っておこう」と店に走る。するとその地域ではトイレットペーパーを求める人の行列ができ、その出来事は世間の注目を集め報道の対象になり、そしてその様子を目にした全国の人々が「大変だ！　トイレットペーパーがなくなるらしい！　ほらニュースでやってるよ！　うちも買いに行かなきゃ!!」と店に殺到する。

そして、全国の店頭から本当に、トイレットペーパーが消えることになったのです。

なお、コロナ禍が始まった２０２０年にも、「店頭からティッシュやトイレットペーパーが一斉に消える」という、オイルショックをまるっきりコピーした現象が起こりました。ただオイルショックから47年経ってまったく同じ騒動を繰り返すほど日本人が愚かだとは思いたくないため、その件に関しては**記憶から消したい**と私は思っています。

ええい、認識さえしなければ、存在しないことになるんだ!!

……………という、これが予言の自己実現であります。

人間というのはこうやって「認識することで嘘を本当にしてしまう」という性質があ

るため、あまり恐怖とか憎しみみたいな負の感情を刷り込まない方がいいのですよ。

カルト宗教なんかも、信仰心や信者の結束を深めるために外に大きな敵を設定する傾向があります。国家が自分たちを潰そうとしているとか、あるいは「ハルマゲドンが起こる」なんていう予言も仮想敵のひとつです。ハルマゲドンという巨大な脅威があるために、搾取や虐待など理不尽な扱いを受けても信者は教団への忠誠を捨てないわけです。

しかし実際のところ、国家は自分たちに攻撃を仕掛けてこないし、ハルマゲドンが起こる気配もない。そこで、時折彼らは、**自分たちでハルマゲドンを起こしてしまう**んです。国を転覆させるようなテロを企んだり、あるいは教団全員で集団自殺をしたり、**ハルマゲドンに準じる事態を自ら引き起こし、予言を自己実現してしまう**んです。

だから「外に仮想敵を作る」という行為は、たしかに内部の結束は高まるかもしれないが、本来は敵でないものを敵にしてしまい、回り回って自分たちを滅ぼしてしまう可能性もある、リスキーなやり方なんです。

自分の国を愛するのは決して悪いことではないですが、ただ愛国が故に他者に対して必要以上に攻撃的になっていないか、そこは常に冷静になって見極めるようにしたいものです。

15.

テロリズム

2019年4月。私はコロンボの安ホテルでベッドに横たわり、明日出国するべきか？　それとも「シナモングランドホテル」に移るべきか？　頭を悩ませていました。

コロンボは二千年の歴史を誇る、スリランカの大都市です。

本来、私は明日で20日間の旅程を終え、その後シンガポールを経由し、帰国の予定でした。ところが私はひとつ前の町（首都のスリジャヤワルダナプラコッテ）で体調を崩し、コロンボではまる3日、ベッドに転がり宿の壁だけを見て過ごす羽目になったのです。

私はそもそも、コロンボを観光したくてスリランカにやって来たのに。この最後の楽しみのために、2週間に及ぶ辛い旅に耐えて来たのに。それが結局メインイベントのコロンボでは寝たきりでそのまま出国なんて、**ビートルズのコンサートに行って前座のドリフターズだけ見て帰るようなものじゃないか**（成熟した大人にしかわからない例え）。

そこで私は、必殺のプランを考えました。それが、**「スリランカ滞在を延長し、しっかりコロンボを観光して帰る」**です。

本当ならこの後シンガポールで数日遊んで帰国予定であるが、それは諦めよう。その代わり、コロンボで良いホテルに移動して、リッチに観光を楽しむ。それから直接日本に飛べば、帰国日自体は変わらないし、コロンボ行楽満喫という本来の目的も果たすことができるのであーる！

私はコロンボでは、「シナモングランドホテル」に泊まりたいとずっと思っていました。スリランカで初めての五ツ星を獲得し、「モダンな建築美（地球の歩き方）」「質の高いおもてなし(agoda)」「便利なロケーション（ＨＩＳ）」「ショッピングセンター直結(Expedia)」「14のレストランを併設（ホテル公式）」と、各サイトで非常に心惹かれる紹介文が並ぶ高級ブランドグループのホテルです。それでいて1泊1万円台という。

現実的にはその後に物価の高いシンガポールが控えているため泣く泣く節約して安ホテルに泊まったのですが、ここでシンガポールを諦めて「シンガポールに行ったつもり予算」を投入すれば、シナモングランドに泊まれるのです。おそらく人生最初で最後のスリランカ、ここは憧れのホテルで病後の体を労りつつ、心ゆくまで観光して帰るのがベストの選択ではないですか。

幸い、予約サイトではシナモングランドにまだ空きがありました。もう前日だし、早々に手続きをしなければ。私はノートPCを立ち上げ、明日から3日間の宿泊プランを選択し、氏名やカード情報を入力しました。あとは「予約完了」をクリックするだけ。心を決めてもう一度だけ人差し指を動かせば、宿願が叶うのです。

そして。

私は……。

結局、次の日ヘロヘロになりながら空港に行き、当初の旅程通り、シンガポールへ移動したのでした……。

最後の最後で考え直し、私はシナモングランドを諦めたのです。**もうスリランカ料理に飽きたんです。**日本食が。どうしても、日本食が食べたかったんです。あと3日コロンボにいるとして、今の弱った体でさらに3日間スリランカカレーを食べ続けることを想像したら、吐き気が……(涙)。シンガポールなら、日本食が食べ放題なんです。吉野家にやよい軒に大戸屋にスシローにモスバーガーに、日本のチェーン店だらけ。日本人の病人に必要なのはそういう食事じゃないですか? いいんですよ。**今の私には一生に一度のコロンボ観光より、1個のモスバーガーの方が価値があるんです。**

高熱で酩酊していたこともあり、私は悩んだ挙げ句コロンボとシナモングランドを諦め、予定通り出国しました。まだ新型コロナの流行前で、発熱者がチェックされることもなく、多少熱があっても出国→搭乗→入国まで突破できました。

そして、その翌日。２０１９年4月21日。**コロンボで同時多発テロが発生。イスラム過激派の自爆テロにより、シナモングランドを始めとする３つの高級ホテル、そして教会が爆破され、３００人近くが命を落とす惨劇となりました。**

あわわわわ……。

シナモングランドホテル、ザ・キングスバリー、シャングリラ・コロンボの3ホテルが吹き飛ばされたのは朝9時15分から9時20分までのわずか5分の間です。どこも朝食の会場であるレストランで自爆が行われたということでした。

……………。もし私があの時、「予約完了」をクリックし、シナモングランドにチェックインしていたら……。朝早くから観光に出かけて被害は免れたかもしれないし、でも少しでも宿泊代の元を取ろうと朝食会場に行き、朝昼晩兼用の覚悟で胃が破裂する寸前まで果物やパンを食べ続けそのままレストランごと爆発していたかもしれない……。

私はYahoo! JAPANのトップに並んだ「スリランカで同時多発テロ」の記事にかぶり

つきながら、今まで歴史やニュースの中の出来事でしかなかった「テロ」という行為を現実のものとして認識し、灼熱のアジアにいながら背筋が凍える思いをしたのでした。

さて。そんな私の体験を踏まえたり踏まえなかったりしながら、この章では「テロリズム」について考えてみたいと思います。

テロリズム、以下にあるように日本語では「暴力主義」と表せるようですが、テロリズム略して「テロ」の方が言葉として馴染みがありますね。

テロリズムの定義は、**「政治目的のために、暴力あるいはその脅威に訴える傾向。また、その行為。暴力主義」**（広辞苑）、となっています。つまり、暴力や犯罪に「政治的な目的」があれば、それはテロということになるわけです。テロの起源は、フランス革命の時代に権力者が敵対する人間をギロチンにかけたり拷問したりした恐怖政治（テロール）とのこと。「政治目的の暴力」ならば、権力の側が行ってもテロということですね。

政治的な目的がどこまでの範囲を示すのかは、なかなか難しいところです。例えばカルト宗教が毒ガスを撒く行為なども「その宗教なりの理想の社会を作ろうとしていた」という点では、広い意味での政治問題と言えそうです。実際、過去のそういう事件はテロだと認識されていますしね。

コロンボの事件もそうでしたが、イスラム過激派による数々の事件は「国や社会の『現状の支配構造』に打撃を与えるために行われる暴力」ということで、これは定義通りのテロということになるでしょう。悪名高いＩＳＩＬ（イスラム国）のルーツであるアルカイダは、もともとサウジアラビアを始めとする中東地域へのアメリカの進出に抵抗するために作られた組織です。ただコロンボのテロに関しては、ＩＳＩＬが犯行を讃える声明を出してはいるものの、実行犯たちの所属はＩＳＩＬとは繋がりのないイスラム組織で、いまだに目的ははっきりとわかっていないようです。

ところで、おおむね人類共通で……いや、主に「先進国の人類共通」で、**『テロ＝悪』であり、いかなる理由があろうともテロは決して許されない」**という考え方が浸透しているように感じます。だいたい政治家のみなさんはそう仰いますね。日本でも外国でも。アメリカなどはたとえ自国民が人質に取られても、「テロには絶対に屈しない」という姿勢を貫いているように思います。

しかし、「政治的な目的のために暴力あるいはその脅威に訴える行為」がテロであるという定義を踏まえると、私はその紋切り型のテロ批判に「おやっ？」と首を傾げたくなります。

たしかアメリカは、イラクの政権を転覆させるために、軍隊を送り込んで**戦車で砲撃・**

戦闘機で空爆と、**地球上で遂行し得る最強クラスの暴力**を振るっていましたよね？　そして我が日本政府もそれを支持していました。しかも「大量破壊兵器を隠し持っているだろう！」と因縁をつけ、民間人も大量に死なせて制圧した結果、**やっぱり大量破壊兵器なかったね、てへぺろ☆**という結果に……。

これは定義上ではアメリカがとんでもない規模のテロを行い、日本もそのテロに国として賛同したということになると思うんですがどうでしょうか。私の家に警察が来て、「危ないブツを隠し持っているんだろう！」と因縁をつけられ、**壁も天井も壊され家が全壊するまで調べられたけど結局なにも出ず警察はてへぺろして帰っていく、**みたいな状況ではないでしょうか。**そんなもんテロやないかっ!!　ノー論倫理（ロンリンリ）の最悪質なテロや!!!　ふざけんなっ!!!**

もしかして、**戦争の規模まで突き抜ければそれはもうテロじゃないからOK**なのでしょうか？　不倫は悪だけど、略奪婚まで行き着けばそれはもう不倫じゃないから祝福せざるを得ないみたいな……そういう理屈かな……。**一理ある。**

じゃあもっと小規模な、これはどうでしょうか。

日本の政治家さんは、委員会で**議長のマイクを強奪して法案を阻止しようとしたり**しているじゃないですか。この原稿を書いているまさに真っ最中、大手新聞に「れ○○党

○本氏、入管法採決で暴力　○民議員がけが」という見出しが上がっていました。
まあ法案の採決で議員さんが暴れるのは珍しくもない、日常的な光景というイメージですが、そう言えばテロの定義ってなんでしたっけ？　「政治的な目的のために暴力、あるいはその脅威に訴える行為」。なるほど**テロやないかっ!!　紛うことなきテロやないかっ!!　国会で国会議員が日常的にテロを起こしてるやないかっっ!!!**

これは、実に不思議じゃないですか？　政治的な目的で他国を爆撃したり国会で暴力を振るったりしている人たちが、一方では「『テロ＝悪』、いかなる理由があろうとテロは決して許されない！」と主張しているのです。

これはどういうことかというと、要するに人々は本来の定義などシカトし、「テロリズム（テロ）の定義」を、**「敵がやる暴力がテロ」**としているということです。アメリカ政府は「テロは決して許されない!!　……え、イラク戦争？　あれは悪者を退治したんだから例外！　あれはテロじゃない！」と言うでしょうし、暴れる国会議員さんは「テロは決して許されない!!　……え、この前の採決の暴力？　あれは悪い法案を阻止するためだったんだから例外！　あれはテロじゃない！」と言うのでしょう。

結局のところ、「悪は許さん」とは全員が思いながらも、人間の善悪の基準は**「自分**

がする行為は善、敵がする行為は悪」という、相対的なものなのですよね。ネットで誹謗中傷をする人だって、「誹謗中傷は良くないぞ!! ……**でも俺のは建設的な批判だからいいんだ！ これは誹謗中傷とは全然違うぞ！ おまえは誹謗中傷をやめろよ!!**」と言いながら他人を誹謗中傷するわけですから。悪は許されないと言いつつ、自分の行動については悪だと認識していないため、「存在とは知覚である」の通り、自分が発する悪は存在していないことになるのです。

かつて私は、中東のパレスチナ自治区を訪れたことがあります。

パレスチナのイスラム教徒たちも、よく敵対するイスラエルをターゲットにして自爆テロを起こしていました。イスラム圏の外側からは、彼らはとんでもない悪であり、狂気の人々だという印象を持たれているかもしれません。そもそも私がそうでした。

ところが実際に現地の様子を見聞きすると、ガラッとイメージは変わるのです。

パレスチナの町には、「イスラエル軍によって殺された市民」の写真が、食堂や道々の壁や電柱などいたるところに貼られていました。子供から老人まで、名前や人柄、どのような状況で亡くなったかという説明も添えられて。

パレスチナの土地は事実上イスラエルに占領されているような状態で、「入植者（パレスチナの土地に移り住んだイスラエル人）の安全を確保するため」あるいは「テロを警戒するため」という名目で、イスラエルが軍隊を駐留させています。そしてなぜかイスラエルの兵士たちは、パレスチナの人を突然撃ったり「武器やテロリストを捜索する」という名目で彼らの住宅を破壊したり、砲撃や空爆で町を吹っ飛ばしたりしています。「ブツはないか！」と因縁をつけて家を全壊させる警察のようなことを、現実に行っているんです。

病院のベッドには買い物中に頭を撃たれた子供や農作業中に手足を撃たれたおじさんが意識不明で横たわっており、町はところどころ爆破されてズタボロ、壁に大穴が空いた家で老夫婦がガレキにまみれて暮らしている有り様でした。

実のところ、「パレスチナ人のテロで犠牲になったイスラエル人」の数よりも、「イスラエルの軍隊に殺されたパレスチナ人」の方が圧倒的に多いのです。

パレスチナの若者は、「イスラエル人を巻き込んで自爆する奴は、俺たちのヒーローだ！」と言います。彼らにとっては自爆する大人は悪いテロリストなどではなく、家族や近所のおじさんおばさんや友達の仇を討ってくれる英雄なのです。私もその感情はとてもよく理解できました。

そのような情勢の中で、なぜ外側にいる我々は一方的にイスラムの人々の方を「悪のテロリストだ」と思ってしまうかというと、反対の側の横暴はほとんど報じられないからです。「存在とは知覚」であるので、報道されないイスラエル側の大規模なテロ、あるいはイスラムではない人々……我々がイスラム教徒に加える弾圧や差別や暴力という我々の側の悪は、我々が認識していないために存在しないことになっているのです。

もちろん私が認識していない「イスラムの人々が行った悪」もいくらでもあるのでしょうから、どちらが善でどちらが悪だと、私ごときが断定することは不可能なんですけどね……。

まあ結局のところ、いくら「テロは悪であり、決して許されるものではない」と言ったって、やる方はみんな「そうだそうだ、テロは悪だ!! **俺たちのは正義の行使だからテロじゃないけど、おまえらは悪のテロをやめろよ!!**」と考えているんですよ。

テロの定義は「暴力」なので、そりゃあなければないに越したことはないでしょう。しかし、テロが起きた時に「テロは悪だ! テロは決して許されないんだ!」と力強く言って、それが世の中からテロをなくすためになにか効果を発揮することは決してないでしょう。「戦争反対!!」と具体的な方策なく叫んでいるだけの人と同じです。地球上の誰もが戦争は反対であり、戦争はダメだなんてことは人類は全員知っているけど戦争は起きるのですから。**「悪は撲滅すべきだ」と全員が思いながら、同時に「自分は正義で、自分以外が悪だ」とも全員が思っている**のなら、ただ「悪、反対~!」と叫んだところでいったいなにが解決するというのでしょうか。

政治や宗教など、信念に関する対立においては、「悪を撲滅するぞ！」という考え方ではただ争いの炎に油を注ぐだけです。善悪ではなく、**「『自分の正義』と『相手の正義』はどこが食い違っているのか？」**と相対的な視点で考えなければ、テロも戦争もこの世界からなくすことはできないのだと、思う今日この頃です。

16. 構造主義①

ニンテンドースイッチの「ゼルダの伝説」は、ゲーム史上屈指の「自由なゲーム」として有名です。

本来の目的は悪の魔王を倒すことですが、宝物を探してダンジョン探索をしてもいいし、野生の馬を手懐けて野原を走り回ってもいいし、子悪魔が仲良く暮らす村を観察して和んでもいいし、その村に忍び込んで金銭を強奪してもいいし、その村に巨石を落として叩き潰してもいいし爆弾を投げ込んで住民ごと爆破してもいいし(人は誰でも心にテロリストを住まわせているのです……)、魚釣りに熱中してもいいし虫採りに励んでもいいしハンググライダーで空を飛び回ってもいいし、なにをしても自由です。

過去のどんなゲームと比べても飛び抜けた自由度で、もし主人公(リンクくん)に感情があったなら、「俺は遂に究極の自由を得たぞ〜〜!!」という全能感に浸るのではないでしょうか。

でも、その自由って、現実の世界と比べてしまったら、たいした自由ではないですよね？　いくら自由度が高くたって、リンクくんは家系ラーメンを食べ歩くことはできないし、税理士試験も受けることはできないし、両腕を広げて走り回った後でマイクを掴み「おいおいおい、もう終わりかよ！　冗談じゃねえぞオイ‼　新日本プロレスファンのみなさま、目を覚ましてください！」と、１９９９年１・４東京ドーム大会で**橋本真也をマットに沈めた後の小川直也のモノマネ**を披露することもできません(したいかどうかは別として)。

結局のところ、「ゼルダの伝説」が屈指の自由度と言ったって、それはあくまでゲームという枠組みの中での自由でしかないのです。リンクくんはいくら自由に動いているつもりでも、プログラマーによって作られた「ゲームという構造」を突き抜けてさらに自由に振る舞うことは絶対にできないんです。ゼルダの伝説の世界には、税理士試験もプロレスの試合もそもそも存在しないのだから。

この章と、次の章で取り上げる**「構造主義」**は、ゲームの世界と同じく、**我々が暮らす現実世界にも、実は我々の行動を密かに制限するような様々な構造が隠されているのだ**と考える思想です。

この世界には私たちが気付いていない大きな枠組み・構造が存在し、たとえ自らの意思で自由に生きているつもりでも、**無意識のうちに私たちはその大きな構造に沿って行動しているのだ**と、構造主義では考えます。

その構造とは具体的になんなのか？　というと、例えば「言語」です。みなさんは普段日本語を使って生活していると思いますが、私たちは知らず知らずのうちに、**日本語という言語の構造に従ってものを考えるようになっている**という傾向があるんです。

構造主義の起こりは、まさに言語の研究からでした。19世紀から20世紀にかけて活躍した言語学者のソシュールは、「人間は『世の中の物事に名前をつけるため』ではなく、**『世の中の物事をどう認識したいか』を区別するために言葉を使っているのだ**」と述べ、言語というものの構造を見抜いたことで「構造主義の祖」と呼ばれるようになりました。

まあちょっと、難しいですよね……。まだピンと来なくても大丈夫です。順番に説明していきますので、とりあえずこのまま読み進めてみてください。

私はここ数年オンライン英会話を中心に英語を勉強しているのですが、その中で、日本語と英語の違いというのは単純な言葉の差というだけでなく、**日本人とアメリカ人（やイギリス人など英語を母国語にする人々）との物事の認識の仕方の違いなのだなあ**と感じることがよくあります。

日本人とアメリカ人の認識の違い

いくつか例を挙げてみましょう。

これはみなさんもご存知かと思いますが、英語では「お兄さん」と「弟」が、どちらもbrotherです。お姉さんと妹はどちらもsister。

英語には、「兄」とか「妹」だけを表す単語がないんですよ。「old brother」や「big brother」などとして兄を表現することはできますが、日本語のようにズバリ兄というものを指す単語はない。

なぜないのかというと、英語圏の人は、兄弟がいる時にその兄弟が兄(年上)なのか弟(年下)なのかを、**気にしないから**です。日本人の感覚では、自分のお姉さんか妹について話す時にそれが「お姉さん」であるのか「妹」であるのかは重要です。重要というか、そこがはっきりしないとなんか気持ち悪いじゃないですか。1人しかいない姉もしくは妹について話す時に、「この前、**私の姉妹がさぁ〜**」とはまず言わないし、仮に言ったとしたら**「いや姉なのか妹なのか、どっちやねん!!」**という感じで言う方も聞く方もムズムズしてくるのではないでしょうか。

ところが英語圏では、そもそも「誰かが自分と比べて年上なのか年下なのか」を基本的に気にしないんです。なんでかはわからないけどとにかく気にしない。まあ向こうからすれば「なんでおまえらそんなしょーもないこと気にしてんだよｗｗｗ」と日本人に対して思うことでしょう。そして、**気にしないから「姉」に対応する単語も「妹」に対応する単語もない、どっちも同じsister**なんです。逆に日本ではそこを気にするから「兄」「姉」「弟」「妹」という単語ができているんです。

つまり、ある物や事にガシッと単語が割り当てられているか……物事に「名前がつけられているか」は、**その言語を扱う人たち(の多数派)が気にしているかどうかで決まる**んです。

日本語と英語で反対のパターンもあります。

私が「へ〜〜、こんな言葉があるんだ!」とちょっと感動した英単語が、「skyline(読み:スカイライン)」です。skylineの意味は、**「山や建物などが空と接する境界線」**。空を背景に、山岳地だったら山々の輪郭が、高層ビル街ならデコボコした直線的な線がskylineということになります。文章では「beautiful skyline(美しいskyline)」とか「modern city skyline(近代的な都市のskyline)」みたいに使われます。

そして、日本語には、そのskylineにズバリ対応する単語がありません。なぜか？そうです、**日本人は「山や建物などが空と接する境界線」のことをあまり気にしないから**です。「あまり」ですから中には気にする人もいるでしょうが、少なくとも私は今まで街や自然を眺める時に「いや〜、山や建物などが空と接する境界線が美しいなあ」という視点を持ったことはありません。「山が美しい」「街並みが美しい」と思うことはあっても、「境界線が美しい」と思ったことはないです。

もし多くの日本人にその感覚があったとしたら、とっくにそれを表す単語が出来上がっているはずなんですよ。例えば「空境（くうきょう）」とか。日本の昔の人なんて風流な表現大好きですからね。**ひさかたの　空境（くうきょう）のどけき春の日に　しづ心なく花の散るらむ**とか、**平安時代の歌人**なんかがそれを表現する言葉をあみ出しているはずなんですよ。風流なことが好きな上、暇なんだからあの人たち(失礼)。

空境（くうきょう）は　うつりにけりないたづらに　わが身世にふるながめせしまにとか、

でも21世紀になってもいまだに日本語ではskylineを「山や建物などが空と接する境

界線」とごちゃごちゃ文章にしなければいけないということは、清少納言や兼好法師ですらその単語がなくても別に困らないくらい、日本人の多くは「山や建物などが空と接する境界線」を気にしてこなかったということです。

一応、強引にひと言で表そうとすれば、日本語でもカタカナで「スカイライン」と言うことはできるようです。skylineを辞書で調べると、「山や建物などが空と接する境界線。**スカイライン。**」と書かれてたりしますから。でも、カタカナの「スカイライン」って、**どう考えても英語ありき**じゃないですか。語源は英語でしょう。まかり間違っても**舎人（とねり）親王（しんのう）とか大伴家持（おおとものやかもち）とか**が作った言葉とは思えません。カタカナの外来語でしか表せないということは、それこそが「外来語が入って来る時代までその表現は日本語にはなかった」という証明です。

日本人は文字制限の厳しい古代の歌人ですらその単語がなくても困らなかったくらい気にしていなかったのに、英語圏の人々は「山や建物などが空と接する境界線」を昔から意識していたんですよ。だからそれをひと言でスパッと表すskylineという単語ができたんです。いちいち「ほら見て見て、山や建物などが空と接する境界線がとてもキレイよ～！」とか文章で言うのはまどろっこしいから。

さて、ここで考えてみたいのが、では**「skylineというのはこの世に存在するものな**

ということです。

疑問を呈しておいてすぐ答えを書いてしまいますが、その結論は明瞭で、**日本人にとってはは存在しないが、アメリカ人(等)にとっては存在する、**なんですよ。

結局ここでも、「存在とは知覚である」が適用されるんです。それを気にしなかった(多くの)日本人にとってはskylineなど存在しないが、それをちゃんと認識しているアメリカ人にとっては、skylineはたしかに存在しているんです。

言語学者のソシュールが「人間は『物事に名前をつけるため』ではなく『物事をどう認識したいか』を区別するために言葉を使っている」と述べたのは、このことです。仮に物や事の捉え方が人間はみな共通なのだとすれば、どの言語にもskylineを表す単語があるはずなんです。ところが実際は、ある言語にはあるし、ない言語にはない。ということは、言語というのは物事に名前をつけるためというより、**「その言語を使う人々が『自分たちはどのように世界を認識したいか』をはっきりさせるため」**にあるのだと言えるんです。

みなさん、学生時代に新しいクラスになった時、最初に名前を覚えた異性はどんな子だったでしょうか?

みんなそうですよね。**かわいい女子、かっこいい男子の名前を最初に覚えましたよね。**

うです。

なぜそうやって気になる子の名前から真っ先に覚えるのかというと、我々は**かわいい女子やかっこいい男子を認識したいから**なんです。自分の世界を「かわいい女子やかっこいい男子をしっかり認識する世界」にしたいために、その子たちの名前はすぐに覚えるんです。一方で気にならないクラスメートの名前は全然覚えられないのは、**自分の世界においてそれらの生徒は別に認識しなくてもいい、どうでもいい存在だから**です(涙)。skylineも、アメリカ人にとっては気になる子だけど、多くの日本人にとってはどうでもいいクラスメートだったんですよ。だから名前がない。

面白いのは、私は**「skyline」という単語を学んだ日から、急に日々の暮らしにおいて「山や建物などが空と接する境界線」を意識するようになった**ということです。私はこれまで45年以上、国内はもちろんたとえ英語圏の国にいようが、山や建物と空の境界線を気にすることはなかったんです。その国にskylineの概念があっても、自分はそれがない日本語話者だから。ところが、ひとたびskylineという単語を知ったら、自分の中にskylineの概念が存在し始めたんです。知覚が生まれたことで、存在も生まれたのです。

これは、英語圏の人々が兄弟を兄(年上)と弟(年下)で区別しない、という点にも通じるはずです。当初、英語を構築した人々は兄弟姉妹が年上か年下かを気にしなかったから「兄」や「妹」などの個別の単語は作らなかったのでしょう。しかしそれから時が経ち、現代ではむしろ「気にしないから単語がない」というより、『兄』や『妹』などの年齢を気にする単語がないので、**年齢を気にできない**」という方が正しいのかもしれません。自分の使う言語にその単語がないから、その単語が表す発想自体が出て来ない。私がskylineを認識し始めたのと逆パターンですね。

これが、言語の構造です。

我々は言葉を自由に操って世界を表現しているつもりでも、その「世界」というのは、「その世界になにが存在していてなにが存在しないのか」「世界をどのように認識するべきか」という枠組みを言語によって決められた世界なんです。

ゼルダの伝説の主人公は、「家系ラーメン総本山・吉村家」にラーメンを食べに行くことはできません。なぜなら、ゼルダの伝説の世界に吉村家は存在しないからです。同じように、我々日本人は、日本語に存在しない概念についてはその事物の存在自体を認識しておらず、そこを訪れる自由はないわけです。そういう「言語による構造」に、実は我々人間は支配されているんです。

これはいくらか私の偏見も入りますが、skylineなど日本語にない英語表現を学ぶたび、私は「英語圏の人は世界をこんなふうに見ていたんだ！」と驚かされています。

例えば、「ぬいぐるみ」と「剥製」って、全然違うじゃないですか。片方はぬいぐるみで片方は剥製なんですからそりゃ全然違いますよ。ところが、英語だと両方とも「stuffed animal」で表せるんです。「兄と弟の違いなんて気にしないからどっちもbrother」のパターンに当てはめると、英語圏の人々は、ぬいぐるみと剥製をほぼ同じものだと認識していることになります。「クマのぬいぐるみ」を欲しがっている娘さんに、ぬいぐるみではなく**本物の羆（ひぐま）を殺して内臓を取り除き詰め物をした剥製**をプレゼントしたら、日本の子ならショックで号泣するでしょうが、アメリカの娘さんはどっちでも同じように喜ぶのかもしれません。万が一そうだとしたら、なんだかちょっと猟奇的な性質を感じますね……。

また、英語には**「窒息死させる」**という意味の単語が、私が知るだけでも「suffocate」「smother」「choke」「strangle」「overlie」「throttle」と6つもあります。辞書を引いても細かい違いはよくわからないんですが、「英語圏の人は、**他人を窒息死させる時の詳細な方法をしっかり認識したい世界に住んでいるのだなあ**」と私は思い、背筋が寒くなったものです。

あるいは「mutilate」とか「limb」「dismember」なんかは、どれも**「人間や動物の**

「手足を切ってバラバラにする」という意味の動詞です。当然、日本語ではそれをひと言でビシッと表現する語はありません。使い道なさそうですからそんな単語。でも英語にはその単語が存在する(しかも複数)ということは、英語圏の国々というのは**「え〜い毎回毎回、『人間や動物の手足を切ってバラバラにする』なんてまどろっこしく説明してられんわ！　もっと簡潔に表現できる単語作ろうぜ！」**と昔の人々が思ってその単語を実際に開発してしまうくらい、手足をバラバラにするようなイベントが頻発する世界だということに……やっぱり猟奇的な雰囲気が……。

日本語では「1冊の本」も「2冊以上の本」もどちらも「本」ですが、英語だと「a book」「books」というように、単数か複数かで表記を分けなければいけません。その物が1個なのか2個以上なのかが、英語圏ではとても重要らしいです。

しかし1冊と2冊の違いは「a book」か「books」か表記を変えるほどこだわるのに、**2冊と2兆冊の違いはこだわらずどちらも同じ「books」**というのは、これはもう日本人とアメリカ人(等)では見えている世界が違うのだとしか言いようがありません。でも悲しいかな我々は日本語の構造でしか世界を認識できないので、彼らがどのように世界を捉えているのかを理解することはできないんです。勉強して英語を使いこなせるようになれば、新しい世界も見えてくるのでしょうけど。

「『英語学習中の物静かな日本人』が英語で喋ると急に陽気になる」あるいは「『日本語学習中の陽気なアメリカ人』が日本語で喋ると急に落ち着いた人になる」というのも、外国語勉強あるあるです。言語の構造というのは、その人の人格まで変えてしまうほどの力を持っているんですね。

それでは次章では、言語以外の構造についても取り上げてみたいと思います。

17. 構造主義②

ちょっとだけ前章の続きです。

結局のところ、我々は世界をありのままに捉えているわけではなく、「自分の使う言語によって切り分けられた世界」を見ているのです。

私たちのご先祖は、彼らなりの「世界をどう見たいか」という基準に沿って、物や現象に名前をつけて来ました。

「名前をつける」ということは、「対象を周りから切り分ける」ということです。他とは違う名前を持った瞬間、その対象は人々に認識され、存在することになるんです。例えば総勢20名のおニャン子クラブから3人のメンバーだけを抽出し、「うしろ髪ひかれ隊」という名前を与えたならば、その瞬間3人は周囲から切り離され、「うしろ髪ひかれ隊」という独立した存在として認識され始めるんです。決して「存在するから名前をつけた」のではありません。**「存在させるために名前をつけた」**のです。※そもそも「おニャン子クラブ」の存在を知覚していない方は、世代に応じて「モーニング娘。→ミニモニ。」「AKB48→渡り廊下走り隊」などに差し替えていただければと思います

あるメンバーに「うしろ髪ひかれ隊」という名前が与えられた世界では、私たちが見るのは「うしろ髪ひかれ隊がいる世界」なんです。もしそこに言葉が割り振られていなければ我々が見るのは「おニャン子クラブしかいない世界」だし、あるいはまた別の命名がされていれば「ポニーテール握り隊」と「洗い髪吸い付き隊」と「三つ編みでしばかれ隊」におニャン子が切り分けられた世界、が我々の前にあったかもしれません。

だから、私たちが見ている世界というのは普遍的な世界ではなく、「言語によって恣意的に(気まぐれに)切り分けられた世界」なんです。日本人が紫一色の世界を見ている時でも、英語が母語の人たちは**パープルとバイオレットに切り分けられた世界**を見ていたりするのですから(この例えだけで良かったのでは)。

さて、言語の他にも、私たちの思考や行動に影響を与える隠れた構造はいろいろあります。中でも代表的なものが、**伝統や習慣**です。

構造主義で伝統や習慣について述べる時に、これは避けて通れないという定番の話題

があります。それが「近親婚の禁止」についてです。

日本では、民法第734条において「近親者間の婚姻の禁止」が定められています。私たちは親子や兄弟姉妹はもちろん、甥っ子・姪っ子とも結婚することができません。「ああ良かった、推しメンのはぁたんが俺の姪っ子じゃなくて……」とホッとしたドルヲタの方がいるかもしれませんが、それは**取り越し苦労**です。**どっちにしろできませんから(涙)。**

これ、日本だけでなく、世界の多くの地域に共通して存在するルールなんです。周囲から隔絶されている、未開のジャングルに住むような部族にすら同じような掟(おきて)があるんですよ。もちろんない地域もあるものの、人類にはわりと共通で「近親婚はダメ」という決まり……そういう決まりを作りがちな構造があるんです。

なぜでしょうか。どうして近親者は婚姻が禁止されがちなのでしょうか?

一応「近親婚では遺伝子の事情で不健康な子供が生まれやすい」という研究結果はあるようですが、そこまでハッキリとした影響は出ないという説もあり、そもそも近親婚禁止ルールは遺伝子の概念が生まれる前から……あるいはいまだにその概念がない民族でも持っています。

仮に健康問題が理由ではないとしたら、示し合わせたわけでもないのになぜ世界各地で同じルールが生まれているのでしょうか？

そこに答えを提示したのが、人類学者レヴィ・ストロースでした。レヴィ・ストロースはフランス人で、構造主義を代表する研究者です。彼はブラジルの大学に赴任中、アマゾンのジャングルに足繁く通い、先住民の暮らしを観察していました。

そのフィールドワークの中で彼が結論づけた「世界中に近親婚禁止のルールが存在している理由」は、社会を構成する家族同士が、**女性を交換し合うため**というものでした。

女性の交換です。ある集団とある集団で女性を交換することにより、集団間の交流が生まれ、そのコミュニティが活性化するんです。コミュニティは活性化した方が良いのでじゃあ女性もどんどん交換した方が良い、そして女性をどんどん交換するためには家族内の婚姻は禁止しなければいけない、というわけです。

…………。

いやあ。なんというか。

このレヴィ・ストロースと近親婚は構造主義を語る上で避けられない話題ではあるんですが、「女性の交換」ていう表現がなんともね……。どうも令和を生きる著者としては、書くのに抵抗がある表現です。物じゃないんだから。でも書かないと先に進めないしな……。

では、こういう設定にしても良いでしょうか。この章だけ、**明治時代に書かれた原稿**ということにして話を進めても良いでしょうか？　令和にはふさわしくない表現なので、これは19世紀の原稿ということにしたいなと。**ていうか実際そうだし。この原稿は明治時代に書いたものだし。**　１００年後に編集者に発掘されるように、うちの蔵にしまっておいたんだし。なにぶん前時代の原稿ですので今日（こんにち）の社会通念や人権意識に照らして不適切な表現がございますが、**当時の時代背景や本書の文学的価値を考慮しそのままにしておりますことをご了承いただけますと幸いです。**

　ということで、近親婚はさりとは宜（よ）くも住む人の繁昌するやうに果報を人ごとに言ふめれど、それぞれのいへよりいだす娘は命がけの勤めにらしく見ゆるも首うなだれて、女子（おなご）の恨みはかゝる身のはて一軒ならず二軒ならず危ふく目をふさぐ人もあるべし、わびしきやもしれねどことをもちてかたみのいへ〳〵が結び付き、苦心さこそゆくすゑは良きことならぬやいく歳（とせ）のって**読みづらいっ!!!　明治の原稿めちゃめちゃ読みづらいっっ(涙)!!!**

　やっぱり、明治の設定は**やめましょう。**読めない文章書いても仕方ないし。ていうか書けないし。

　まあ女性にとっては気分の悪い話かなと思いますが、レヴィ・ストロースの主張によ

社会全体の結びつきが強化される仕組み

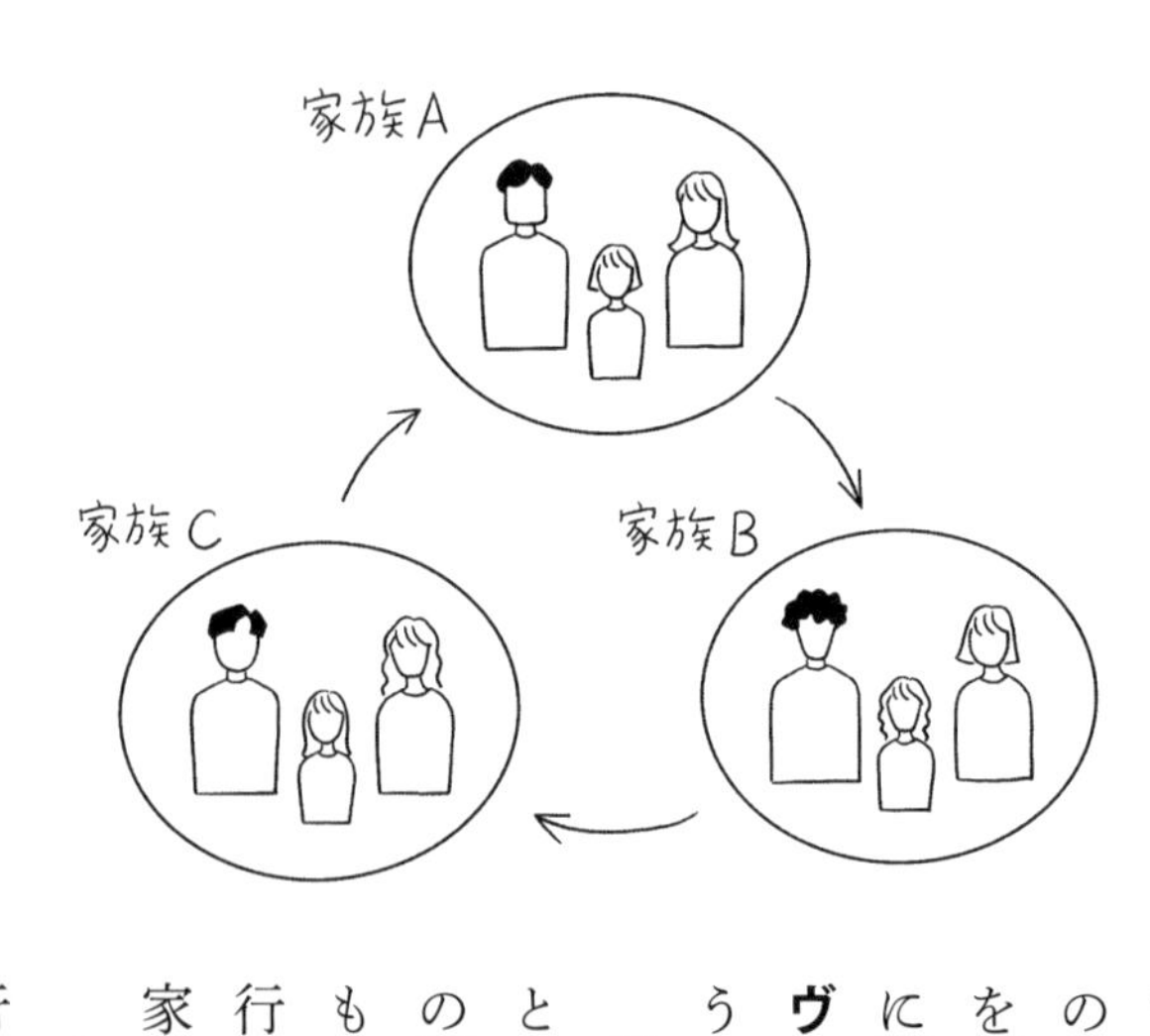

れば、人類はそのような構造を持っているということなんです。レヴィがそう言っているのだから仕方ないです。今回はレヴィの主張を紹介することを優先しているので。この章に関してはレディ・ファーストではなく**レヴィ・ファーストの方針で**書いているのでどうかご容赦ください(泣)。

仮にAという家族の中で近親婚が行われるとすると、冠婚葬祭も親戚付き合いも家族Aの範囲内だけで完結することになります。でもそこでA家の娘さんが「家族B」にお嫁に行った場合は、そのお嫁さんを橋渡しにして、家族Aと家族Bが交流を持つことになります。

そして今度はB家の娘さんがC家へ嫁いで行けば、BとCの家族に繋がりができる。それが繰り返されることで、社会全体の結びつきが強化されるわけです。とりわけジャングルなどでは、共同で狩りをしたり家や道具を作ったり外敵と戦ったりと、集団同士が手を組むことで受けられる恩恵は多そうです。

近親婚禁止の伝統が出来上がった頃は、狩ったり耕したり戦争をしたりと、腕力が重宝する場面が多いのでどの家族も男手は家に留めたかったのでしょう。ただ、今はもう時代が変わったので、「男の交換」でもいいと思います。……いやむしろ、**女性の方が価値があるからこそ交換されるのは女性だった**という考え方もできる気がしますね。だって、仮に私の家族が私を交換に出したとして、ちゃんとトレードに応じて交流を深めてくれる別の家族が見つかるとはなかなか思えません。私と交換が成立するものなんて、せいぜい**nanacoポイント500ポイント分くらい**(クレジットカードのポイント交換で一番簡単にもらえるやつ)ではないでしょうか(号泣)。

ちなみにパプアニューギニアの島々には、「クラ交換」という風習があります。

これは「貝や石でできた『クラ』という装飾品を、定期的に隣の島へ運ぶ儀式」です。端(はた)から見たらたいした価値のなさそうな腕輪や首飾りを、はるばる船団を組みカヌーを漕いで、荒波を越え隣の島へ届けに行くんです。

クラを届けられた隣の島の人たちは、そのクラを、さらに次の島まで運びます。そして次の島の人たちはまたそのクラをその次の島に届ける。そうして最終的になにかが起ころわけでもなく、**ただ手作りの装飾品がぐるぐると諸島を移動し続けるだけ**という、なかなかシュールな風習です。

一見意味不明で無駄にも感じられるこの慣習、これも研究者によれば、「各島が孤立することなく、交流を絶やさないため」に生まれた(と推測できる)ものなのだそうです。クラ自体が高値で売れたり実用的な価値があったりするわけではないけれど、**「それを交換するという行為」に価値がある**わけですね。

これは「気になる女の子(男の子)とマンガやCD等を貸し借りする」の行為に通じるものがあると思います。あれもぶっちゃけ、マンガとかCD自体はどうでもいいんですよね。やり取りする物自体はなんでもよくて、**「貸し借りを通じて相手と関われる」というところにこそ価値がある。**パプアニューギニアのクラ交換と「気になる子とのマンガの貸し借り」、構造は同じです。ちなみに私も学生の頃好きな女の子にわりと強引に頼み込んでマンガを借りたところ、次の日くらいに**「同じの買ったからもう返さなくていいよ」**と言われたことがあります。きっと私が全ページ触ったようなマンガを再び所持するのがイヤで、新品を買い直したんでしょうね。余計なお金を使わせてしまって申し訳ないです……。

近親婚の禁止やクラ交換のルールは歴史が長い分、あまり深く意味を考えず「決まりだから」「伝統だから」となんとなく風習に従っている面もあるでしょう。つまり、**伝統や習慣(あるいはそれを作った人)の狙い通り、人々はまんまと「他の集団と交流を持ち、社会の結びつきを強化する」という振る舞いをさせられてしまっている**んです。これはまさに「人間の思考や行動は見えない構造によって規定されている」という構造主義の主張にガッチと合致します。

こういう、「昔からそうだから」とあまり真剣に考えず惰性で従っているが、実はそこには人々の思考や行動を操る意図が隠されている「やり手の伝統・習慣」はたくさんあります。

例えばイスラム教では、聖典のコーランにより豚肉を食べることが禁じられています。なぜ禁じられているかというと、「食べちゃダメだとコーランに書いてあるから」です。理由は別に書いていない。しかしそこをよく検討してみると、豚は病気にかかりやすく食中毒の危険があるため、衛生状態が悪い時代に信徒の健康を守るためにこの戒律ができたと考えられるそうです。

また、インドの身分制度であるカースト制は、今から3000年以上前にアーリア人がインドを制圧した際、国民を分断させて反乱を封じるために支配者側により制定されたと言います。

どちらも「教義だから」ということでなんとなく従っている信徒の方も多そうですが、これも抗えない伝統や習慣の構造によって、人々の行動が左右されている例だと言えるでしょう。

さすがにカースト制と比べるのははばかられるんですが、しかし私たちの身近な風習には、カースト制のように**「特定の人間が利益を得るため」**に作り出されたものも案外多かったりします。

例えば「土用の丑の日にウナギを食べる」なんていうのは、夏に売れないウナギをなんとか食べてもらおうと、ウナギ屋さんの依頼を受けた平賀源内が創作した風習だと言われています。ウナギが本当に美味しいのは冬なのに、「土用の丑の日にはウナギを食べるものなのだ」という刷り込みができたことにより、日本人は旬でない夏のウナギをまんまと消費させられるようになったんです(もう今時は夏のウナギも美味しいのでしょうが)。

また、「バレンタインデーにチョコレートを贈る」という風習は、今から90年ほど前に日本のチョコレートメーカーが考案して広めたものです。とりわけ日本独自の大当たり企画が「義理チョコ」で、日本社会にその構造が組み込まれてしまったために女性たちは毎年出費を強いられ「誰と誰と誰に渡さなければいけないか」に苦心させられ、また私のような非モテ男は**人の数よりチョコの数の方が多い期間に自分の手元には1個も到達しない**という屈辱にのたうち回ることになるのです。いっそのこと「嫌いな男性にもチョコをあげる」という**不義理チョコの風習**も作って欲しかった……。不義理チョコは「相手から料金を徴収する」というシステムでいいから……(涙)。

さらに、「婚約指輪は給料3ヶ月分」というのもダイヤモンドの販売会社が作ったスローガンが慣習となったものだそうで、さらにさらに、サンタクロースが赤い服に白いヒゲ、黒いベルト&ブーツという赤白黒のカラーリングになっているのも、**コカ・コーラの宣伝を兼ねているため**なんです。もともとサンタクロースは青や緑や黄色とバラエティに富んだ服装をしていましたが、コカ・コーラ社がクリスマスのキャンペーンのため赤白黒のサンタのイラストを描き、それが世界に広まって今のサンタの姿が定番となったのです。コカ・コーラ社の公式サイトに掲載されてますからねこの話。

こうなってくると、ほとんどの伝統や習慣はなんらかの商売のために創作されたものなのではないかという気さえして来ます。

初詣なんて、お寺連合や神社グループが年に一度荒稼ぎするために創作した風習ではないのか？　お正月に鏡餅を飾ったりお雑煮を食べるしきたりはお餅業界の謀(はかりごと)では？　書き初めは半紙協会が、節分はお豆(まめ)財団が、雛祭りと端午の節句は人形連盟が、七夕は折り紙組合が七五三は着物同盟と飴ユニオンが年越しそばは蕎麦インダストリーが、除夜の鐘も**鐘の摩滅（まめつ）を促進して修理や交換の時期を早めるために鐘オーガニゼーションが作り出した習わしなのではないか**と、なにもかも疑いの目で見たくなってしまいます。お年玉も昔の**子供フリーメーソン**がお小遣い欲しさに作り上げた伝統なのでは……。

まあそんなわけで、平安時代や明治時代に比べれば遥かに自由に生きているであろう我々も、実はまだまだ言語や伝統・習慣など無数の構造に縛られているのです。むしろその構造は時代と共に増える一方で、ある面では我々は平安時代の人々よりも思考や行動が制限されているのかもしれません。平安時代の女性たちは、「今年の義理チョコをどうするか」について職場のメンバーで集まって頭を悩ます必要などなかったでしょうから……。

この社会に潜む無数の構造を看破することは、本当の自由を手に入れるために我々がこなすべき課題なのかもしれません。

Chapter 4

幸福

◎自分の人生をどう生きるか

プロローグ

最後のチャプターで取り上げるのは、「楽観主義VS悲観主義」「幸福主義と快楽主義」「清貧主義VS拝金主義」「懐古主義」「実存主義」の5つ（＋α）です。

人間は……とりわけ日本人は、周りに流されやすい性質を持っています。食べ物もファッションも娯楽も文化も健康情報も、世間が一度ある方向に動き出せばなんとなくその波に乗り、そして波が方向を変えれば抗うことなく新しい波に流されます。

しかしそのように起こっては去り、起こっては去るブームにただ翻弄されるだけでは、いつまでも芯の太い人間にはなれません。

波の上からいろいろな風景を見ることも経験であり、そこから学べることもあります。でも一定期間を生きた大人に必要なのは、気まぐれな波にさらわれる軽さではなく、地面に深く根を張り、災難にも動じない強さなのではないでしょうか？　少々の波で動くような大黒柱は実に頼りないではないですか。

思想や主義にもブームがあります。

古代ギリシアでは相対主義ブーム、20世紀前半には社会主義ブームが世界を席巻していました。現代の日本でもドラッカーが流行ったり脳科学が流行ったりアドラーが流行ったりスピリチュアルが流行ったり断捨離が流行ったり、入れ替わり立ち替わり様々な思想のブームが来ています。

ただ思想や主義は、時に選ぶ人の生き方まで変えてしまうものです。思想こそ安易に流されるのではなく、慎重を期して選択しなければいけません。

そのような重要性を鑑み、この本ではどれかひとつの思想だけをゴリ押しするのではなく、著者の意見も挟みつつではありますがなるべく多くの主義を紹介し、読者のみなさん自身に「ベストマイ主義」を見つけていただこうという立場を取っています。

その点ではお金や幸福など私たちが身近に感じる事柄について取り上げたこの第4チャプターが、もっとも真摯な検討に値する主義たちであるかもしれません。

気まぐれにやって来る特定の思想ブームに惑わされることなく、みなさんが楽しく生きるためにはどの方針が最適であるのか、ぜひご一考いただければと思います。

18. 楽観主義VS悲観主義

楽観主義と悲観主義。この2つは、日々起こる出来事に対してポジティブな感情で受け止めがちか、それともネガティブに反応しがちかという考え方の傾向です。

どちらが良いのか？　というと言わずもがな、世間的には「ポジティブシンキング」つまり楽観主義の方が良いとされています。書店のビジネス書や自己啓発のコーナーにポジティブシンキングの本はたくさんありますが、**「ネガティブの教科書」「スーパー・ネガティブシンキング！」「絶対に仕事がつまらなくなる　ネガティブシンキングの授業」「毎日がアンハッピー（泣）　ネガティブな私になる15の法則」**みたいなネガティブ推しの本は並んでいないのではないでしょうか（あるわけねえ）？

ポジティブなセリフとしてよく耳にするものに、なにかを失敗した時に「1回や2回の失敗なんてなんだ！　**プロ野球のバッターだって3割打てれば成功なんだぞ！**」と励ます、「野球で例えるポジティブシンキング」があります。たしかにその通り、イチローだってメジャー通算打率・３１１ですから、10回中7回失敗してもプロ野球なら大成功です。

私はその野球ポジティブ励ましを聞くたびに、「そうだよね、たしかに野球のバッターは10回中3回打てれば成功だよね。**でもピッチャーは10人中3人しか打ち取れなかったら解雇だよね**」と心の中で茶々を入れています。

バッターとピッチャーの評価基準でどちらが世の中の標準かと言ったら、絶対にピッチャーの方だと思うんですよね。だって、世の中の大半の仕事って、10回中3回しか成功しなかったらトータルでは失敗じゃないですか？　例えば、近所に**10人入っていったら7人はめちゃめちゃダサい髪型で出て来る美容院**があるとして、その成功率3割の美容院に「まあ野球のバッターなら3割で成功だしな……」とポジティブな気分で髪を切りに行こうと思うでしょうか？　乗ったタクシーが10回中3回しか目的地に着かなくても「まあ野球のバッターなら3割で……」で許せるでしょうか？　**全身麻酔の成功率3割の麻酔科医**に「まあ野球のバッターなら……」のポジティブマインドで開腹手術の麻酔を託せるでしょうか？　**7割の確率で開腹中に目が覚めるんですよ？？**

……………。

と、まあ、こんなふうにポジティブに対して嫌がらせをする態度から、私がどちらかというとネガティブ側の人間だということはよくわかっていただけるのではないでしょうか(涙)。

もちろん、書店の棚にポジティブの本ばかり並ぶのは、楽観主義には事実たくさんのメリットがあるからです。しかし一方で私がネガティブ傾向でいるのも、悲観主義には悲観主義なりの利点があると信じているからです。

つきましてはこの章では、楽観と悲観、ポジティブとネガティブ双方の良いところについて、不肖・私ことネガティブさくらよりご提案させていただければと思います。

ではまず、楽観主義です。

楽観主義＝ポジティブシンキングの一番のメリットは、「予言の自己実現が働くこと」ではないでしょうか。

愛国主義の章でも取り上げましたが、人間には、自分が強く思い込むことによって、本来は非現実だったその思い込みを現実にしてしまうという、ことがなきにしもあらずという力があります。

例えば、占い師に結婚運を観てもらい、「あなたが結ばれる相手は、もうあなたの近くにいますよ」なんて言われたとしましょう。占いを本気で信じるタイプの人であれば、そこで「えっウソ！　もう私or俺の周りに結婚相手がいるんだ⁉　**誰だろう⁉**」と考え始めるのではないでしょうか。

　ひとたび「自分の結婚相手は近くにいるのだ」と思い込んだら、今までただの同僚や友人だった異性を「もしかしたらこの人が運命の相手かも……」という意識で見ることにもなるでしょう。「ただの同僚」という意識で接するのと、「もしかしたら運命の相手かも」という意識で接する場合では、自分の態度＝相手に伝わる空気感がまるで違うはずです。そしていつしかその空気に共鳴した異性の一人と恋が芽生え、あれよあれよと結婚に、「やっぱりあの占いは当たっていたんだ！」となる……。ありそうな展開です。

　これが占いを信じない人ならば、「あなたの結婚相手は近くにいます」と言われたところで日々の行動は変わらないでしょう、よって現実も変わらないでしょう。しかし「自分はもうすぐ結婚するのだ」と強く思い込んだ人は、その思い込みが生む行動によって思い込みを現実に変えてしまうことがあるわけです。これが予言の自己実現、思い込みの力です。

　まあそこまで大きな出来事でなくとも、「てんびん座のあなたはミラクルラッキーデイ！　今日はとてもハッピーなことがあるでしょう！」という、朝のめざまし占い程度だとしても。それを信じて「今日はどんな良いことがあるんだろう？」とワクワクニコニコ過ごしていれば周りの人に与える印象も良くなるだろうし、ニコニコの周りにはニコニコが集まって実際に良いことが起きる、というプチ自己実現は簡単に生まれそうです。※アンラッキーデイの時は信じないようにしましょう

また、「公表効果」も予言の自己実現が関わるポジティブのメリットです。

公表効果というのは、**達成したい事柄を公表や公言すると、その内容を具現化させられる確率が上がる**というものです。

例えば、私は何年も前から「オンライン英会話を、いつか始めたい」と思っていました。いつか始めたい、と思い始めてからいつしか2年が過ぎ3年が過ぎ、**5年が過ぎてもまだ「いつかオンライン英会話を始めたい」と変わらず思っている**という有り様でした。5年も同じことを思い続けるなんて、一途ですね私は。

しかしこのままでは、おそらく40年後(87歳)も「いつか始めたい」と変わらず思っているだけだろうなと想像し、思い切って、公表することにしました。Twitter(現・X)に、**「私は今から1週間以内にDMM英会話に入会します!」**と書き込んだのです。

すると見事、その1週間後、私は宿願の英会話を開始することができたのです。

なにしろ公言したからには、その通りにしなければウソつきになってしまいますからね。ウソつきは恥ずかしいという焦り、そして「こうして公表しているということは自

分は本気なのだ」というプチ自己洗脳により、私は5年も尻込みしていた行為を実行に移すことができたのです。

つまりなにか「実現させたいこと」がある場合は、それを広く公表してしまうのが良いのです。

まあ「1週間以内に英会話に入会します！」と投稿すること自体がいくらかの覚悟を要する行為ではあるので、もしその投稿の踏ん切りもつかない場合には、「今から1週間以内に、『1週間以内に英会話に入会します！』という投稿をします！」というワンクッションの宣言をまず投稿すれば良いでしょう。それもまた踏ん切りがつかないという場合には、**「今から1週間以内に、『今から1週間以内に〈1週間以内に英会話に入会します！〉という投稿をします！』という投稿をします！」**とツークッションを、さらには**「今から1週間以内に、『今から1週間以内に〈今から1週間以内に〝1週間以内に英会話に入会します！〟という投稿をします！〉という投稿をします！』という投稿をします！」**とスリークッションを……。

まあそういうことです。「私はこれをやります！」と大勢に向けて公言すれば、人は実際にそう振る舞うようになるんです。我らが東京の小○都知事なんかは、立候補に際して「待機児童ゼロ」「残業ゼロ」「満員電車ゼロ」「ペット殺処分ゼロ」「介護離職ゼロ」

「都道電柱ゼロ」「多摩格差ゼロ」の**7つのゼロを実現します!!** と1千万都民に向けて公言し、それで見事当選を果たしたわけですからね。その結果、就任から2期8年を経て、**公約達成率はゼロです(8つ目のゼロ)。**………………。まあ、政治家になるような大物は我々下々の民と違い、**公表効果ごときで行動が左右されることのない、鋼の精神をお持ちなのでありましょう。**

というように誰にでも適用されるものではないものの、ポジティブシンキングでいる人は、自分に対して「きっと自分は成功するんだ」「自分はできる人間なんだ」という前向きな思い込みを植え付けるでしょうし、それを自信を持って公言もするでしょう。であれば、そのポジティブな思い込みは実現する可能性がグッと上がります。これがポジティブシンキングでいることの最大のメリットではないかと思います。

では次に、ネガティブシンキング、悲観主義でいることで良いことはあるのか？ という点も考えてみましょう。

悲観主義では、楽観主義のメリットが逆に働くことになります。「どうせ自分は結婚なんてできないよ」と考える人は前向きな行動を起こさないので本当に結婚できなくなるでしょうし、「今日は悪いことが起こりそうだ……」とオドオドして過ごしていたら周りの人からの心証も対応も悪くなるでしょう。さらに「自分はなにをやってもダメだな〜」とか「いつか○○を始めたいけどどうせ俺はやらないだろうな〜（笑）」とか自虐的に言ったり書いたりしてしまうと、公表効果も働いて**マイナスの方に予言を自己実現**してしまいます。悲観主義の前途は非常に暗く感じられますね……。

ただし、全部が全部悪いことばかりではないんです。

悲観主義は、**防御的悲観主義（防御的ペシミズム）**として用いられることで、事故や失敗を回避したり、私たちの向上心を促すという利点を生むことがあるんです。

防御的悲観主義は、「これから起こること」や「これから挑むこと」に対し、必要以上に悪い結果を想定する思考方法のことです。これは特に意識せずとも、世の中の「悲観的にものを考えがちな人」は自然に取っている行動でしょう。例えばプレゼンや交渉ごとに臨む時に**「きっと失敗するだろうな」**と、あるいは学科試験やスポーツの試合に挑む前に**「きっとうまく行かないだろうな」**などと考えるのです。

これはポジティブな人からしたら、「陰気な野郎め！」とイライラさせられる態度ではないかと思います。もしアントニオ猪木さんの前でそんな態度を見せたら、**「やる前に負けること考えるバカいるかよ！　出て行けコラ!!　バチーーーン（ビンタ）!!」**と怒りの鉄拳制裁を食らうことになるでしょう（1990年2・10東京ドーム、VS蝶野・橋本組の試合前インタビューより）。

でも、やる前に負けることを考えるのは、単なるバカでもないんですよ。この防御的悲観主義によって、悲観主義者は、**しっかり準備をするようになる**んです。

私はプレゼンや試合をする機会はないですが、たまにトークイベント等に出演することがあります。イベントに際してはあらかじめ話すことを原稿にまとめていくのですが、原稿を用意する時、私はいつも「これを喋っても、**盛大にスベるんじゃなかろうか(怖)**」とビクビクしています。

しかし、「スベるのでは……」とネガティブに想像することで、私は「Aがスベった場合の予備のネタ」「Bもスベった場合の予備のネタ」「お客さんがドン引きした時のフォローコメント」など、様々な対処方法も考えて原稿に加えるようになります。そうすると、本番で一の矢が外れても、念のため用意していた二の矢や三の矢でリカバーできることが結構あるんです。たまに十の矢まで的に当たらずスベり倒し、**「もう切腹させてくれ(涙)」と思っても刀すら折れている、最後の1本の矢は自分を殺すために取っておくべきだった……**」と絶望にまみれることもあるのですけれど。

それでも、綿密に準備をすることで私は5割くらいのミスは自力で持ち直せていると感じます。これがもし最初からポジティブに「俺が喋ることはなんでもウケるに決まっているぜ！」とだけ考えていたら、ほとんど準備なしで本番に臨むことになり、一切の失敗が挽回できずお客さんを大勢失う結果になっていたかもしれません。プロの芸人さん以外で、「俺の喋りは面白いぜ！」と思い込んでいる人がそのまま人前で喋ると99％スベりますから。

これはプレゼンや試験や試合でも同じでしょう。失敗することを想像して、ビクビクするからちゃんと準備をするようになるんです。「俺は天才だから余裕だぜ」「俺は強いから負けるわけないぜ」と最初から楽観していたら、勉強も練習もせず本番では思わぬ苦戦をすることになるのではないでしょうか？

本番の最中はポジティブでいいんですよ。本番になったら「俺は受かるんだ！」「私は勝てる！」「俺はウケる‼」と考える方がパフォーマンスは上がります。準備段階で「このネタ、スベるかも……」と思ったとしても、それを実際に話す時には**「絶対にこのネタはバカ受けだぜぇ‼　これほど面白いトークはないぜぇ‼　たけし・さんま・タモリ・俺、でお笑いＢＩＧ４だぜえええぇっ‼」**と自己洗脳してノリノリで喋らなければいけません。「これスベるかもしれない……」と不安がりながら喋る話は１００％スベるというのは、言語が誕生した10万年前からの人類不変の法則です。

2021年の東京オリンピック、柔道で二連覇を達成した大野将平選手がこの防御的悲観主義を練習に取り入れていたことで知られています。大野選手は日々「自分が試合で負ける姿」を想像し、「ではどうしたら負けないようになるか」ということを考えて練習に臨んでいたそうです。その結果が、二大会連続の金メダルです。

悲観主義も、使い方によっては楽観主義より大きな成果を生むことがあるんですね。大野選手は他国のなみいる楽観主義者たちを下して頂点に立ったわけですから。確証はないですが銀メダル以下に楽観主義の選手はたくさんいたでしょう。だって**出場選手が全員悲観主義の競技**ってちょっとあり得なさそうじゃないですか。見たくないしそんな悲壮感漂う大会。

まあ大野選手も、アントニオ猪木さんの前で「自分はいつも試合で負ける姿を想像しています」と表明したら、**「やる前に負けること考えるバカいるかよ!! 出て行けコラ!! バチーーーン(ビンタ)!!」**と鉄拳制裁でしょうけどね……。

結局のところ、相性の問題も大きいということです。猪木さんは常に自分を信じ、必ずできるんだと信念を持って突き進むタイプ。一方大野さんは不安や恐怖によって自分を追い込み、奮い立たせるタイプなのでしょう。

みなさんが「自分はどちらなのか」を見極めるためには、ある程度失敗が許されるチャレンジに対して、**今回は楽観でトライしてみる、次回は悲観でトライしてみる、**というように両方やってみて自分の頑張り具合を観察してみれば良いと思います。私は楽観だと圧倒的にサボるので、悲観の方が向いているんです。

必要以上にくよくよしてしまってはデメリットの方が大きくなりますが、軽めの「自分はダメな奴なんだ」というネガティブを常に頭の隅に置いておけば、向上心も生まれるし謙虚な態度でもいられるし、「期待→失敗」の大きなショックも避けられるし（逆に「期待なし→成功」の喜びの振り幅は大きいのです）、ネガティブシンキングにも確実にメリットはあるのです。写真のフィルムと同じように、ポジティブとネガティブそれぞれの特性をよく理解して、場面に応じて使い分けるのがもっとも利口な振るまい方なのではないでしょうか。

19. 幸福主義と快楽主義

我々人間には、「生きる目的」が必要です。

なぜなら、目的がないと、**わりと生きるのが辛いから。**

若いうちはそうでもないかもしれません。若いということは人生の先に「無数の可能性」があるということで、その可能性を追う時が来たら目的も自然に現れますから。今は目的がなくとも、「目的なんて将来いくらでもできるさ」という無意識的な了解が、若者の心の安定を生んでいるのではないかと思います。ああ憎たら……いや羨ましい。

ところが、年齢を重ねて「もうあんまり自分の未来に可能性は残されていないかも（涙）」と悟り出すと、目的なしに生きるのは辛くなって来ます。

これは老いも若きも同じでしょうが、人は「○○のために頑張る」という動機や目標があってこそ、苦しいことにも耐えられるものです。例えば「試合に勝つために厳しい練習に耐える」とか、「合格するために一生懸命勉強する」とか、「悟りを開くために修行する」とか。

逆に言えば、目的がなければ私たちは辛さや苦しさに耐えられないんです。

私は執筆が佳境に入ると激しい背中痛(肩こりの延長)で日常生活もままならなくなるので、鍼灸院に通って背中やお尻に針を30本ほど打ってもらい、なんとか日々を凌いでいます。自分の体に針を刺すなんて怖いし痛いし苦痛ですが、でも「これで体がほぐれて楽になるのだ」という目的があるから耐えられるんです。

これがもし、針を打っても体がほぐれる効果など一切ないとしたら、私は鍼灸院なんて通いません。**なんの意味もないのに週に1回体に30本の針を刺す人**って、ただの変態じゃないですか。誰がそんな苦しいだけの奇行を働きますか？　なにか他の目的……例えば推しメンがお裁縫をする時に私のお尻を針山代わりに使ってくれるとか、そういう特典があるって言うんなら刺してもいいですけど(それもただの変態)。

目的さえあれば、私たちは辛いことも我慢できます。でも、意味のない辛さはダメなんです。「絶対に発芽しない植物の種」を庭に蒔いて毎朝水をやろうとは誰もしないでしょうし、無人島に1人だけで暮らしていたら外国語をコツコツ勉強する気になんてならないでしょう。

「デートの食事代は男が払うのが当たり前」と主張している女性がいるとして、「この女性をなんとかモノにしたい」という目標、期待感を持てている男性なら「だよね、俺もそう思う！　女の子は服や化粧にお金をかけてるんだし、メシ代くらい男が払って当然だよね！」と喜んで財布を開くことでしょう。でも仮に、その女性から「私はあなたが好みじゃないので、決して付き合うことはないですし手を握られるのもお断りです。でも服とお化粧にお金はかかっているので、ごはん代は出してくださいね」と**目標をすべて潰された上で**支払いを要求されたら、**「じゃかましいわこの守銭奴がっ!!!　このジェンダーフリーの時代になにを寝言ほざいとんじゃワレ!!!　男女雇用機会均等法と男女共同参画社会基本法の条文でも熟読しろやこのタコっっ!!!」**と、男性陣はみな財布を密閉して叫ぶことでしょう。

我々人間が苦痛を我慢できるのは、目的および目的の実現可能性がある時なんです。悟りを得るため洞窟で7年も修行していた釈迦でさえ、「どうやらこの方法では悟りは開けなさそうだ」と気付いた途端に苦行を中止したのですから。仏陀ですら、「目的のない苦しみ」には耐えられなかったのです。

だから、「自分はなんのために生きているのか？」ということを我々はふとした時に考えるんです。辛い時にはなおさらですが、辛くなくとも大抵の人は「頑張って日々の人生を生きている」ので、この頑張りに意義を持たせるために「自分はなんのために頑張っているのだろうか？」と目的を問うのです。

その答えというのは信仰する宗教や自分が大事に思うものによって変わって来るわけですが、ただ案外、大半の人に当てはまりそうな、最大公約数的な人生の目的というのも存在すると考えられます。それが、**「幸せになる」という目的**です。

おなじみ万学の祖・アリストテレスは、人間が追求すべき究極の目的を「幸福」だとしました。幸せを追い求め、幸福な人生を送ることが人間の最高善であると。このように、**「人生の究極の目的は、幸せになることである」**と考える思想が、**幸福主義**です。

不幸になるために生きている人はいないでしょうから、「人生の目的は幸福である」という幸福主義のモットーにはみなさんもおおむね賛同されるでしょう。ただそこで気になるのは、「で、**幸福ってなによ？**」という点ですよね。

そんなものは人生の目的と同じく人それぞれだ、と言ってしまえばそうなんですが、せっかくなのでこの章では幸福について哲学者が考えた解を一部紹介できればと思います。

まずアリストテレスも彼なりの答えを示していて、それは、幸福とは**「知ることである」**というものです。

彼の残した言葉に、「人間は生まれながらにして知ることを欲する」というものがあります。なにかを知ろうとすることは人間の根源的な欲求であり、その欲求を満たすこと、勉強して森羅万象の真理を少しでも多く知ることが幸福なのだとアリストテレスは言います。

この見解、なにかを「知ること」が幸福に繋がるというのは、私も経験上大いに共感しています。

私は子供の頃から三国志が大好きで、20代の終わりに「三国志の史跡を巡る」というテーマで中国を半年近く放浪していたことがあります。

例えば、北京から3時間ほどバスで南下したある村に、畑があります。荒れた畑。畑というよりただの**荒れ地**。言葉もわからないのにバスとバイクタクシーを乗り継いで、3時間かけて私はただの枯れ草の繁る荒れ地を訪れました。

なぜそんなことをするかというと、その荒れ地の一角が、三国志の主人公(異論もあり)である、劉備玄徳の生家の跡地だったからです。似たような空き地ばかりの中を必死で探し回らないといけないんですが、ある荒畑の片隅にポツンと立つ「漢昭烈皇帝劉備故里」の石碑を見つけた時、私は大興奮で**キャーーーここが劉備のっ!!　劉備が筵を折りながらおっかさんと暮らしていた、あの桜桑村の家!!!　マンガや小説で何度も読**

んだあの跡地に自分が立っているなんてっ、嬉しい泣いちゃう（涙）‼ と、血が湧き肉が躍る有り様でした。

ほんとになんの変哲もない、みすぼらしい空き地なんですよ。三国志を知らない人にとってはただのなにもない田舎の景色。ただの背景。でもそんなただの田舎の荒れ地に、三国志のストーリーを知っている私は**「こっ、こここっ、ここが劉備のおお〜〜〜っ!!!ココココッコッ、ココココココココ、コ〜コ☆ナ〜ツ（涙）!!!」** と大感動できるんです。

ちなみにそこで撮った写真を帰国後に見返すと「ん？　なんだこのただの荒れ地の写真は？　ゴミ画像？」と混乱するのですが、しばらく考えて「あ、そうだ、これは劉備の故里の写真だったな」と思い出すとまた**「キャーーーここが劉備のっ‼　すごい！泣いちゃうっ‼　コ〜コ☆ナ〜ツっ（涙）!!!」** と荒れ地の写真に血が湧き肉がアイドルソングを踊り出します（ももいろクローバーZの『ココ☆ナツ』です）。

つまりなにが言いたいかというと、**「なにかを知っていることは、人生を楽しくする」** ということなんですね。ただの荒畑が三国志ファンには血湧き肉躍る聖地になるように、政治をよく知っている人は国会中継を興味深く見られるでしょうし、仏教に詳しい人は古寺巡りをエンジョイできるでしょうし、考古学者の方なら博物館の「石を打ち欠いただけの旧石器」にもワクワクできるのでしょう。

知識は日常の他愛もない景色や出来事を楽しいものに変えてくれます。そして人生というのは他愛もない景色や出来事の集合体であることを考えれば、知識を増やす、「知ること」の追求がすなわち幸福の追求であるというアリストテレスの意見はとても納得感があります。

ただ、もちろん幸福について、別の解釈を持つ哲学者もいます。というか、むしろ多数派はこちら。

ソクラテスの弟子であるアリスティッポスは、人生の究極目的……最高善はやはり幸福の追求であるが、**幸福とは快楽である**と述べました。快かったり楽しかったり、心地良いと思える感覚(出来事)を少しでも多く経験することが幸福であり、人生の目的であると。このような思想は、幸福主義から派生して「快楽主義」や「享楽主義」と呼ばれます。

この本の第2章でベンサムの功利主義を紹介しましたが、快楽計算を行い「最大多数の最大幸福」を実現しようとする、その方針はまさに快楽主義の幸福観に基づいたものです。政治や集団の方向性はほとんどの場合功利主義によって決められることを考えれば、世の中にもっとも浸透している幸福の定義が「幸福=快楽」ということになりそうです。

さて、この快楽主義ですが、ただひたすら嬉しい楽しい大好きを追いかければそれで良いのだと考える人もいる一方、**快楽は常に苦痛とセットであるのだ**と、難しい解釈を述べる哲学者もいます。

苦痛というのは快楽とは真逆なもので、辞書を引けば快楽の対義語が苦痛となっているくらいですから、それぞれ相容れないものに感じられるのですが実はそうでもないようです。

この論の要点は、すでに2000年以上前に哲学者ヘラクレイトスによってシンプルに述べられています。曰く、「病気は健康を、飢餓は飽食を、疲労は休息を善いものにする」と。**苦痛と快楽は対立しているけれど、その対立こそが快楽をより快適にするのだ**と、ヘラクレイトスは言ったのです。

この「快楽と苦痛は抱き合わせ」説、これはこれで、私はすごく真実を突いた論だなあと感じました。快というのは、苦の後に来てこそ最大の力を発揮するのだと。

再び三国志旅の話を持ち出しますが、私が三国志のゆかりの地を廻って一番感動したのはどういう時かというと、街の一等地にある、国や省の威信と大予算をかけて整えられた有名史跡を訪れた時。……ではなく、そういう一級観光地ではなく、地元の人しか乗らないようなローカルバスを乗り継いで、まんが日本昔ばなし中国編に出て来そうな

快楽は常に苦痛とセットである

辺鄙（へんぴ）な村に降り立ち、筆談で聞き込みを繰り返し教わった方角へひたすら歩き、「や、やばい、そろそろ帰りのバスに乗らないと今日中に宿に戻れなくなる……」と焦燥感に包まれて来たあたりで山の麓の藪をかき分けたら「○○墓(武将の名前)」と書かれた目的の石碑を遂に発見!! という、そういう時なんです。

像も祠（ほこら）もなく、繁みの中に打ち棄てられた、「マイナー武将の墓」を示すたった1枚の石碑。しかし苦労してやっと見つけたそのただの田舎の石版は、大都市の中心にある主役級の遺跡よりも到達の喜びでは圧倒的に勝っているのです。

そもそも生来のインドア派・オタク気質の私にとって旅というものはそれ自体が苦痛以外のなにものでもありません。中国の旅もアジアの旅もアフリカの旅も中南米の旅も、旅の間の「苦」と「快」の比率は**苦が99に対し快が1**です。

でも、じゃあ旅なんて行かなきゃ良かった！　とも、ならないんです。なぜなら、**旅で99の苦を味わったことにより、帰国後の日本の生活で快が99になるから**です。私にとって旅の良さというのは、そこなんですね。

中国から日本に帰って来た時、**そもそも周りの人に言葉が通じる**ということにどれだけ感動したことか。日本では、メモ帳に漢字を書き連ねて**馬超**（ばちょう）**や夏侯惇**（かこうとん）**の墓の場所を指差し会話で聞き込む**という必要などないんです。**通行人に声をかけまくって怪しまれながら筆談とボディランゲージを繰り返さなくても、目的地に辿り着けるんです日本では。**おまけにトイレットペーパーをトイレに流せるし。**トイレに壁とドアがあるし。天国ですかここは？**

ず〜っと日本だけで暮らしていれば、日本語が通じることやトイレに壁があることとなんて快でも苦でもない、ただの当たり前でしょう。快も0で、苦も0です。

でも、毎日出かけるたびに筆談の聞き込みが発生し「ぐおおっ、質問は伝わったっぽいけど**返答の内容が1ミリも理解できない……（涙）**」と頭を抱える、あるいは共同トイレに壁やドアがなく赤の他人と毎朝排泄シーンを見せ合わなければいけない、そういう苦99（ククク……）の環境で過ごした後に日本に戻ると、**日本の普通の日常が快99になる**んです。言葉が通じるトイレが個室、ごはんが美味しいネットが速い、いつでも熱いシャワーが出る時刻表がウソじゃないタクシーがぼったくらない……、そういうおそらく大半の日本人にとっては快も苦もゼロの当たり前の事柄が、1人旅という苦行の後には膨大な快楽になるんです。そして私の三国志旅の苦行のエピソードをもっと知りたいという方は、さくら剛著「三国志男」を読むと良いのです。

旅のことはさて置き、普段の生活においても、例えば「健康である」とか「お腹が空いていない」とか「室温が適切である」みたいなことは、快楽ではなく「当たり前」ではないでしょうか？

それらを私たちが快だと認識するとしたらいつだろう？　と考えてみると、「病気から回復して健康になった時」「お腹がペコペコな状態でごはんを食べている時」「凍える外や灼熱の外から適温の室内に入った時」、ではないでしょうか？

そう、つまり、**まず先に苦痛があり、その苦痛が解消されてゆく時、または解消された直後に我々は快楽を感じる**のです。その後また時が経ち、苦痛の存在を忘れて「快だけの状態」が続くと、それはもう快ではなくなってしまうという。

そこまで考えると、苦痛とはもはや快楽の構成要素であり、**苦痛なくして快楽は存在**

しえないと言えるほど、苦と快は一心同体であるとみなせそうです。

はじめに書いた通り人間は目的のない苦しみには耐えられないものですが、目的や目標があればなぜ我慢できるかというと、それは「目的が達成された時の快への期待感」があるからではないでしょうか。耐えた先に快が期待できるのなら今の苦痛は「快の前提」「快の一部」として許容できる、でも達成や終わりがない苦痛は、それは快の構成要素ではない「ただの苦痛」なので耐えられない。無意識のうちに我々はそう考えているのかもしれません。

しかし可能であるならば……、**一度も苦痛を経験せずとも快楽を感じ、幸福になれる素敵な思想**、を現代の哲学者の方々にはぜひ新たに考案して欲しいなと思ったりする今日この頃です。

20. 清貧主義VS拝金主義

21世紀まで生きたフランスの哲学者ボードリヤールは、昨今の資本主義は、製品の進化が限界に達した結果**「記号を消費する時代」**に入っていると言います。

ボードリヤールの言う「記号」は、「本来の機能とはあんまり関係ない部分の値打ち」みたいなことです。ブランドとか希少性とか、機能には直接影響しないデザインとかですね。

例えば今が弥生時代で、人々が着る服と言えば幅広い布の中央を穿ち頭を貫き、残りはただ相連ね体に結束するだけ(「魏志倭人伝」の描写より)、というようなスタイルの時代であれば、「みなさん、この度我が社が画期的な新製品、**『Tシャツ』を開発いたしました!!**　腹部や脇下の冷えを完全遮断、しかも着衣スピードは貫頭衣より平均95%アップ※1!!　この着心地とフィット感、一度着たらもうあなたは、麻布貫頭衣には戻れない……（※1　当社調べ。回答数１７０人／紀元前52年10月調査実施）」と、「Ｔシャツ」という製品の本来の機能を前面に押し出して販促ができるでしょう。

ところが現代では、「Ｔシャツ」という製品は製品としての進化はほぼ頂点に達しており、「うちのＴシャツはこんな斬新な機能があるんです！」のような、機能的な差別化は難しくなっています。

では現代はＴシャツはなにで差別化されているかというと、主にデザインです。好みのフォルムであるとか色が良いとかお気に入りのキャラクターがプリントされているとか、機能以外の点を目的としてＴシャツは買われることが多いですよね。それはＴシャツそのものというより、Ｔシャツに**付随している記号を買っている**とみなすことができるんです。

それでも着る物ならばデザインも機能の一部だと考えられるかもしれませんが、これが「あの元アイドルがプロデュースした化粧品！」とか「あの有名芸能人が出店した焼肉店！」とか「あのインフルエンサーが開発に関わったサプリメント！」のようなものになると、そこで謳われる「有名人」の部分は完全に記号だと言えそうです。

普通に考えて、各製品がまだバリバリ進化している途上なのであれば、**有名人がプロデュースなんてしない方が絶対的に製品のクオリティは高くなるはず**なんですよ。

だって有名人は自分のテリトリーでは一流なのかもしれないけど、化粧品や焼肉やサプリメントについては化粧品や焼肉やサプリメントの会社ひと筋でずっと働いている人の方が良い商品を作れるに決まってるんですから。そういう専業の人たちより、本業の片手間でいっちょ噛みする芸能人の方がその分野で良い仕事ができるなんてこと、あるわけないのです。

例えば飛行機に乗る時、「本日の便は、特に有名でもない普通の機長が操縦します」と案内されているフライトと、「本日の便は『就航20周年記念・特別プロデュース企画!』と題しまして、**なんとあのチャンネル登録1000万人超え、大人気YouTuberケジメしゃちょーが着陸まで全航路を操縦いたします!**」と謳われているフライトがあったら、まず全搭乗客が「普通の機長が操縦する方に乗りたい!」と思うことでしょう。餅は餅屋なのでたとえ知名度が低かろうと専門の機長さんの方が着実に操縦してくれるに決まってますし、有名YouTuberなんかに1日機長をさせたら**「【衝撃】ソウルに着陸できると思ってたらまさかの墜落で機内大パニックwww【神回】」**などと、**再生数アップのためにわざと落ちようとする**ことすら考えられます。これは炎上不可避です。

このように、畑違いの有名人よりその道専門の一般人の方が良い仕事をするということは誰しもわかっているはずなのに、それにも関わらず「あの芸能人がプロデュース!」

みたいな売り文句の商品がたくさん存在するということは、**多くの分野ではもう製品やサービスの本質は進化しきっており、もはや芸能人をいっちょ噛みさせるくらいしか差別化の方法がない**、という状態であるのだということが、言えなくはなさそうなのです。

そのこと自体は進化を限界に迫るまで積み重ねてきた各業界の人々のこれまでの成果を讃えるべきであるとは思いますが、ともあれ結果的に今の私たちは「中身はほとんど同じだけどついている記号が違う」という商品に繰り返しお金を払うことになっている、資本主義はもうそういう段階に入っているのだとボードリヤールは言うわけです。そして、**だからこそ資本主義は崩壊しないのだ**とも。製品が進化の限界を迎えても記号の取引により消費が保たれる、それが資本主義を不朽の経済システムとしているのだと。

ただ……、そんな成熟しつつある資本主義社会の中、一方ではただ記号にお金を払い続ける日々に疲れ、このサイクルから離脱を図ろうとする人々もいます。それが、**清貧主義**や**ミニマリスト**の方々です。

清貧主義・ミニマリストには確立した定義があるわけではないのですが、大辞林を参照すると清貧は「富を求めず、正しいおこないをしていて貧しいこと。」、ミニマリストは「身の回りの物を最小限にして暮らすことを信条とする人」、となっています。

ということは、最小限の持ち物で暮らしている人のうち、正しいおこないをしている方が清貧主義者で、**別段正しいおこないはしていない方がミニマリスト**ということになりますね。というのは、**冗談です。**いや、大辞林が紛らわしい書き方してるから……。

古代ギリシア時代においても、哲学者エピクロスが「快楽とは魂の平穏であり、心が満たされていれば、我々はパンと水だけで幸福なのである」と、清貧の大切さを説いていました。そのエピクロスの方針に沿って清貧に生きる集団「エピクロス派」はなぜか快楽主義の一派に位置付けられていたりするのですが(心の快楽を求めるので)、実質的には彼らこそ清貧主義・ミニマリストの元祖だと言えるでしょう。

清貧主義、ミニマリスト、そして元祖のエピクロス派、それぞれ細かな違いはあります。

私がエッセイなどを読んだ限りでは、現代のミニマリストの方々は「必要な物なら高い製品でも持つ」ので、服は捨ててもスマホやパソコンはきっちり使いこなすようです。でも「魂の平穏」を第一に考えるエピクロス派の人々であれば、スマホ・パソコンも使用はためらうことでしょう。いやそもそも、派のルールとしてスマホなんて所持が禁止されるはずです。だって、**どう考えたってスマホを持っていて魂の平穏が保たれるわけがない**ですからね。私の生活を振り返っても、「原稿に取りかかる前に5分だけニュースチェックしよ～っと」とスマホを手にし、ふむふむ、ガソリンの補助金は継続か……

たしかに車通勤の人なんて補助金か減税かどっちかないとやってられないだろうな……。そういえば甲子園はどうなったんだ？　長髪のチームは決勝に行けたのかな？　ん？「マツコ、『育ちのいい女性』の話題で大島由香里アナをバッサリ『この人、育ち良く見えないじゃない？』」……だって！　相変わらず辛辣だなあマツコは。まあそれが許されるポジションを築いたのが凄いんだけどね(笑)。**えっちょっと待って、「今田美桜、デコルテあらわのミニ丈肩出しワンピ×ド派手アクセ姿を披露！『控えめにいって最高』」って、なにこれ!!　見たい!!　今田美桜の肩出しド派手アクセ姿見たい！　どこに載ってるの!?　うわっ今度は「熊田曜子　ドレスの背中のジップ自ら下ろす姿公開『ドレスを脱ぐと赤の下着もうたまりませーん』」だって!!　これも見ずにおれるかっ!!　インスタだよねこれ!?　どれどれっ!?**

……というふうに、「仕事の前に5分だけスマホを」だったはずが**ふと気付いたら原稿は1行も書かずに5時間ほどネットサーフィンをしている**なんていうことは、ざらにあるのです(六流作家あるある)。魂を乱さずに暮らしたいのなら、スマホなど魔封波で封印して海の底に沈めておくのが正解というものです。

　というように所持して良い物ダメな物、清貧系の各派閥で細かな違いはあるのでしょうが、ただし、**「拝金主義と対立する」**という点においてはどの派も共通の感覚なのではないかと思います。世の中お金がすべてだと考え、「金銭を無上のものとして崇拝する」(広辞苑)という拝金主義の方向性、それに異を唱えるのが清貧やミニマルに生きる人たちでしょう。

そして今の日本では、拝金よりも、ミニマリストを軸に清貧側の思想を是とする人の方が圧倒的に多いように感じます。

そもそもここ10年くらいは日本の国力が弱りすぎて、「清貧にしか生きられない」という人が国民の多数派ではないかと思われます。私もそうですしね。本がなかなか売れないので、拝金か清貧か悩む以前に**清貧しか選択肢がない**という。拝金を選ぼうとしても、私の脳内スクリーンでは**「拝金」の表示がグレーアウトして物理的に選択できなくなっている**という。だったら清貧が是、「清貧こそが善」だと**思わなきゃやってられないでしょ!!**

まあ私が原稿で稼げないのは日本の国力ではなく**私の国語力**の問題なだけだったりするのですが、他のミニマリストのみなさんは、収入の問題もあるでしょうし、たとえ収入が十分あっても「記号の消費」に金銭を費やすことに虚しさを覚えている、という人もいるでしょう。一時期「MOTTAINAI(もったいない)」という日本語の表現が世界でもてはやされたように、日本は世界でも特異な「質素・倹約」が伝統として深く根付いた国でもありますから。

無駄遣いはいけない、お金お金言うのはみっともない。そういう感覚というのは、日本人ならばほぼ全員が道徳として染みついているものなのではないでしょうか。昔話でも、強欲な人々は殿様に捕まって投獄されたり(花咲かじいさんの隣のじいさん)害虫や妖怪に襲われたり(舌切り雀で大きいつづらを選んだばあさん)焼き栗を撃ち込まれ蜂にメッタ刺しにされ仕上げに臼に潰され圧死する(さるかに合戦で柿を一人占めした猿)など、ひどい目に遭うのがセオリーとなっています。

ただ、そこで私は、自分も同じような道徳観を持つ側にいるからこそ、ただただ感情的に拝金を敵視するようなことは避けなければいけないなと、時折自戒しています。我々の清貧な道徳は一歩間違うと「節約すればするほど良い」「お金を使うことはとにかく悪」のように極端な方向に走りがちです。そこをもう少し柔軟に「自分と違う価値観や、価値観の多様性を認める」という発想も持っておかなければいけないなと、清貧・ミニマリストのいろいろな意見に触れてみて私は感じるのです。

価値観の多様性について、ひとつ例を挙げてみます。

「お金」「節約」にまつわる記事等でよく目にするのが、**「1日1杯のコーヒー、1日ひと箱のタバコを節約すれば家が建つんですよ!」**系のお話です。

あなたはコーヒーが好きですか？　もしあなたが毎日出勤の前後にカフェでコーヒーを飲んでいるとしたら、X年で車1台、Y十年では田舎に家を1軒買えるくらいの金額をコーヒーにつぎ込んでいることになるのです。カフェ通いをやめれば、あなたはX年で車が、Y十年で家が買えてしまうんですよ！

と、いうように、「あなたの無駄習慣を見直して、もっとお金を有意義に使いましょう」と諭す文章をマネー関連の記事ではたびたび見かけます。

ただ、ここで私が気になるのは、**「なぜこの書き手の方は、『コーヒーやタバコより車や家の方が良いものなのだ』という価値観を読み手に押しつけているのだろう？」**ということなんです。

記事の意図通り「オーマイガッ、そんなに無駄遣いをしていたなんて！　家を買える金額をコーヒーにつぎ込んでいたなんて、もったいない俺のバカバカ‼」と悔しがる人もいるでしょうが、それはもともと書き手と同じ 家＞コーヒー という価値観の人たちです。

しかし世の中には、**車や家より毎日のコーヒーの方が大事だ**という人もいるのです。私はコーヒーもタバコも良さがわからないのですが、どちらも中毒になる人がいるくらいなので、好きな人にはたまらないものなのでしょう。

何が大事なのかは価値観次第

仮に私が来年ローンを組んで家を購入し、そしてその翌年くらいに、今度はコーヒーの良さに目覚めたとします。遅ればせながらコーヒーの魅力の虜(とりこ)になった私が、「カフェ通いをやめればX年で車が、Y十年で家が買えてしまうんですよ！」の記事を読んだとしたら、「オーマイガッ!!! 家を買わなければ俺はY十年も毎日コーヒーを飲み続けられたのかっ!!! そんな金額を家なんかにつぎ込んでしまったなんて、もったいない**俺のバカバカバカ(号泣)!!!」**と地団駄を踏んで悔しがるかもしれません。

とかく私も含めて清貧側の人間は、「そんなものにお金を使うなんてもったいない！」「それをこうすれば月に○円は節約できるのに！」のように、自分と同じ節約観を他人にも押しつける傾向があるように思います。しかしそのような行為は、本人の資産だけでなく心の貧相さも浮き彫りにしてしまいかねない側面があるため、なるべく控えなければいけないなあと感じる次第です。

なお、キリスト教の聖書にも「弱き者、貧しき者は幸いである」**「金持ちが天国に行くのは、ラクダが針の穴を通るより難しい」**と、清貧主義を讃え拝金を批判する記述があります。

まあ金持ちだったら**ラクダが通れるサイズの穴がある巨大針くらい簡単に作れる**でしょうから、金の力で天国行きの難易度も相対的に下げられそうですが、しかしこの「貧しき者は幸いである」の教えは、19世紀になりドイツの哲学者ニーチェにけちょんけちょんに批判されています。

ニーチェ曰く、清貧を讃える教義なんていうものは、**弱い者が強い者への嫉妬や恨みを和らげるために作り出した奴隷の道徳**であると。金持ちの奴らは地獄に、貧しい俺たちこそが天国に行けると、**思わなきゃやってられないでしょ!!** と貧乏人がひがんで都合の良い道徳を創作しているだけだと。………くそっ、ニーチェめ。そういうことは、**思っても言わないでおくのが大人ってものだろ!!　血も涙もない奴めっ!!!**

そしてニーチェは、そんなことではいかん、奴隷道徳で自分を慰めるのではなく、もっと欲望を持って生きなさい！　欲望のために頑張りなさい！　と言います。

まあ耳が痛い話ではあるんですが、言われてみれば、その通りなんですよね……。たしかに近年の「記号を消費する」段階の資本主義において、物の本質ではない記号なんかにお金を使うのは虚しいことかもしれません。

しかしボードリヤールが言うように、「記号を消費する時代になったからこそ、資本主義は破綻しない」のもまた事実なのですよね。これは「記号を消費しなくなったらどうなるか？」と逆を想像すればすぐわかり、もしも人々が「新しい発明品」や「斬新な機能のある製品」しか買わなくなってしまったら、そんな品などほとんどない現代では誰もお金を使わず、経済が止まり資本主義はあっさり崩壊するでしょう。

ここに日本の「清貧道徳」の限界があって、たしかに質素・倹約は良き伝統かもしれませんが、ミニマリストの人たちが「僕たちにもう物なんて必要ない。ただ、スマホとパソコンくらいは新しいのが欲しいぜ」という独自の消費スタイルを貫いていられるのは、**拝金主義の人たちがバンバン記号を取引して経済を回してくれているから**なんですね。もし日本人が全員ミニマリストになったら、お金が動かないので国民の生活水準は一気に下がり、誰もスマホやパソコンなど買えなくなるでしょう。

清貧主義者・ミニマリストが清貧を貫けるのはあくまで拝金主義者が経済を支えてい

るからだと考えると、不幸と幸福が表裏一体であるように、清貧主義と拝金主義もまた切り離すことのできない一心同体の存在であると言えるのかもしれません。

たとえ清貧に生きようと、日本的な節約道徳に縛られすぎ、心まで貧しくすることがないよう気を引き締めておきたいものです。

21. 懐古主義

昔は、良かったですよね……。

私は、日本の文化や娯楽がもっとも魅力に溢れていたのは、昭和末期〜平成前期の期間ではないかと思っています。

プロレスなら馬場猪木から闘魂三銃士・全日四天王までの時代。今のプロレスは跳んだり跳ねたりショーの要素が強く、あの頃の激しさがなくなってしまったように感じます。

サッカーもカズ・ラモスにゴン中山・長谷川健太たちがワールドカップ初出場をかけて戦っていた頃が一番楽しかった。予選通過が当たり前になってしまった今では、ドーハの悲劇やジョホールバルの歓喜のようなドラマはもう生まれないでしょう。

ファミコンも懐かしいですね。当時は性能が限られていた分アイデアやシナリオが秀逸なソフトが多く、さんまの名探偵やMOTHERなんかは時間を忘れて没頭したものです。グラフィックにばかり頼った、今のゲームしか知らない子供たちはかわいそうですよ。

テレビも音楽も出版も、あの頃は活気があった。今の若い作り手たちは世間の評価ばかり気にして、小さくまとまった作品しか作れなくなりましたね。

ほんと、つまらなくなったものですよ日本も。ああ、昔は良かったなあ……。

……………。

と、いうように。

ことあるごとに昔を懐かしみ、**今よりも昔の方が良い時代であった**と頻繁に考える思想が、**懐古主義**です。

懐古主義において「最上の時代であった」と振り返られる「昔」は、主に各人の子供〜青年時代です。私なら昭和末期から平成ですが、私の親世代なら池田勇人の所得倍増計画のあたりを「あの頃は良かった」と懐かしむかもしれませんし、ひいおじいちゃんなら日清・日露戦争で連合艦隊が連勝した時代を、ひいひいひいひいひいひいひいひいひいひいひいひいひいひいひいおじいちゃんなら平穏な世が続き浄瑠璃・歌舞伎など大衆向けの娯楽が花開いた元禄文化あたりを、ひい×80おじいちゃんだったら**推古天**

皇feat.聖徳太子の治世の時分を「あの頃は良かった……」と懐古するのではないでしょうか。

余談をすみません。ひいひいひいひいと書いていてちょっと思ったんですが、今私がこうしてこの世に存在するということは、私のおじいちゃんって生命の誕生まで約30億年遡って**ひい×10億人くらいは**（微生物や小動物時代も含めれば）いるということですよね？

そのご先祖10億人の全おじいちゃんが例外なく子供を作って私まで辿り着いたというのに、**10億代目にして初めて子孫を残せない私（未婚）はいったいいなんなんでしょうか？**我ながらその事実に思いを馳せると絶句します。**この血統10億人の中でのモテないランキング最下位（10億位）が私**ということじゃないですか。微生物やグロい古代魚も大量に参加しているランキングでぶっちぎりビリの10億位って……、そこまで魅力ないですかね私……？　30億年目にして遂に血統を絶やす私は、あの世に行ったら9億9999万9999人のご先祖様に順番に詫びを入れに行かなきゃいけませんね……。

すみません本題に戻ります。

過去を振り返って「昔は良かった」と思いを馳せるのは、誰しも経験したことがある感情なのではないかと思います。

ただ、私は、マイルールとして「昔は良かった……」とか「あの頃は良かった……」みたいなことを、**言ってはいけない**ということにしています。まあ今しがた思いっきり書きましたけど、ただできる限り、可能であれば、無理のない範囲で、1日1回くらいであれば仕方ないけれども、でもなるべく「昔は良かった」は言わないようにしなきゃなと、心がけていこうという方針を採用することを真剣に検討しています。

それはなぜかというと、この懐古主義の「過去を賛美する意識」というのは、**現在の否定から生まれることが多い**からです。

例えばバックパッカーの世界では、「バックパッカー、**発展途上国が発展してしまうことを嘆きがち**」というあるあるがあります。

私がアフリカを旅していた時にはトラックと交渉して荷台に乗って運ばれなければ到達できない町なんかがあったんですが、同じ区間がどうやら、今では公共のバスであっさり移動できてしまうようです。また、旅行者がインドの空港から市内に出るためタクシーに乗ると、必ず途中の悪徳旅行代理店で降ろされて**軟禁されてぼったくりツアーの契約を迫られる**というのがかつての常識だったのですが、なんと今では空港から市内まで地下鉄が開通し、途中で軟禁されずとも市内に辿り着けてしまうということなのです(それが当たり前やっ!!)。

そんな情報に接すると、私は「なんだよ、どこでもバスや地下鉄で行けるなんて、先進国と変わらないじゃないかよ。不便やぼったくり闘争こそが旅の醍醐味だっていうのに、アフリカもインドも、つまらなくなっちまったよな……」と、ふと嘆きの文句を発してしまいます。これは私だけでなく、「昔バックパッカーだった人たち」がよく言ってしまうセリフなんです。私だけじゃないんだ悪いのはっ！

でも、これって、紛れもなく**昔を肯定して今を否定する態度**なんですよね。

反対の立場で考えてみましょう。例えばペリーが今年１８０年ぶりに黒船で日本に再来航したとして、「オー、日本人、もうチョンマゲもやめて刀も差さなくなってしまったのデスね。浦賀にも鉄道の駅やらカインズ横須賀久里浜店やらできて、これではブルックリンと変わらない風景デス……。我々が来ただけで『蒸気船と上喜撰（じょうきせん）』を掛けた狂歌ができたり、鬼顔の似顔絵が瓦版で配られたりとチヤホヤされたあの頃が懐かしいデス……。今は蒸気船を見てもみんなぐっすり寝てるし、日本、つまらなくなりマシタ……」と愚痴を述べたとしたら、我々としては**「勝手なこと言うなよ!!　こっちだって自分たちの暮らしを良くするために一生懸命文明開化したんだ!!　なんであんたらに旅情を感じさせるためにずっと後進国でいなけりゃいけないんだよ!!」**と怒りたくなるでしょう。

このペリーの態度（勝手に悪役にされた想像上のペリー）が、懐古主義の欠点をよく表しているんです。

「昔は良かった……」という懐古的な発言は、基本的には「今はダメだ」の裏返しであり、それは今を生きている人からすると聞いていて気分の良いものではないんです。そもそも冒頭の私の懐古のように、「昔は良かった」のセリフには大抵**「それに比べて今の若い奴らは」**の批判が上の句下の句のようにくっついて来ますから。

この「昔は良かった、それに比べて今は」「俺たちの頃はこうだったのに、今の若者ときたら」は、一定以上の年齢の人にとっては呪縛とも呼べるくらい、言いたい渇望を抑えられないセリフなんです。例えば私が使っている英語のテキストにも「Today's youth are very free and easy.（今の若者はのんきだ）」や「The younger generation has no manners.（若い世代は礼儀がなってない）」などという文が載っており、「今の若い奴らは……」は国際的な愚痴だということがわかります。

つい先日、元全日本プロレス三冠王者のトップレスラーが書いた本を読んでいたら、そこにも「最近のレスラーはこういう基本がなってない」というお説教文がありました。さらに、**ジャッキー・チェンとアーノルド・シュワルツェネッガーの自伝**にすら「今の若い役者はこういうところが良くない、自分が新人の頃は……」という主旨の記述があり、私は仰天したものです。

三冠王者Kさんはプロレスファンで知らぬ者はいないですし、ましてやジャッキーとシュワルツェネッガーなんて世界中の人が憧れる大スターではないですか。私のような小者なら「若者をディスることで相対的に自分の価値が上がった気分になる」という勘違いの自己満足で悦に入ることもできますが(ダサッ)、すでに人類の頂点にいるようなジャッキー&シュワちゃんがなんで今さら「最近の若者は……」みたいなことを言うのか。**そんなことをしなくても、あなたたちがすごいということは人類全員知っているというのに。**

結局、彼らのようなレジェンド級のスーパースターまでが「昔は良かった、今の若い奴らは……」をつい言ってしまう、それほど「昔は良かった」は人類にとって魅力ある言葉・思考だということです。**ネコにとってのまたたびが、人間にとっての懐古主義**だと言って良いでしょう。逆に「昔は悪かった」なんて考える人がいたら、それはもう人じゃなく人造人間かもしれません。ほら、だからターミネーターはいつも気に食わない過去を破壊しに来るんですよ……。

なぜ、それほどまで我々は「昔は良かった、今はダメだ」を言いたくなってしまうのでしょうか?

ひとつには、今述べた通り**「他者（若者）を否定すると、相対的に自分を肯定できる。気がする」**というのが理由でしょう。

例えば私が「今のバックパッカーはアフリカもインドも楽に旅ができていいよな〜。俺たちの頃はひとつ移動するだけでもこうこうこうで、大変だったんだぜ……」と懐古に浸る時、そこには「俺の方が苦労してるんだから、**俺はおまえたちより凄いんだぞ！**」という主張が含まれているわけです。これはネット上などで一般人が有名人を叩く心理と似ていて、なにかこう「人としてのステージ」みたいなものを自力で上がっていくことが困難になった時に、他人を引きずり降ろすことで「あ、あいつと俺は大差ないじゃん」と感じて劣等感を和らげられるという、なんとも情けない行為です。

良くないですよね。そんなダサイことをする人間は微生物や古代魚よりモテなくて当たり前なので、せめてご先祖ランキングにおいて**微生物超えを悲願**とする私は、他人を下げるようなみっともない懐古は控えねばならんと自分に言い聞かせています。

すでに人類で最高位のステージにいるようなジャッキーやシュワちゃんが劣等感を持っているとは到底思えないのですが、もしかしたら彼らも「現役バリバリだった頃の自分」と「70歳になった自分」を比較して、我々常人では想像もつかない高レベルの劣等感を感じているのかもしれません。あるいは、彼らの業界では本当に「昔は良くて今はダメになっている」という厳然たる事実があり、情熱ある彼らは真摯に後進の発展を願ってそれを指摘しているだけかもしれません。歴史に名を残すようなヒーローたちの心情は、私のような凡人では推し量ることができず……。

ただ、人が懐古主義に陥りやすい理由は、それだけではありません。その他に、**「認知的不協和を解消するため」**にも、我々は過去を肯定し現在を否定することがあります。

これがわかりやすく発現するのは、おじさん(私)やおばさん、お年寄りが**最新のテクノロジーを批判するような時**です。冒頭で私が愚痴った「ファミコンは面白かったけど、最近のゲームはなっとらん!」のような、「新しい技術や製品の否定」に認知的不協和が関わっていると考えられます。

認知的不協和というのは、自分の中に「矛盾する認知」が同時に存在することです。よく挙げられる例としてはイソップ寓話の「酸っぱいブドウ」のお話があります。キツネがブドウを見つけて食べようとするのですが、ブドウは高いところにあり、どうやっても手が(あるいは口が)届きません。しぶしぶキツネはブドウを諦めるのですが、去り際にキツネは「どうせあんなブドウ、**酸っぱいに決まってるさ!**」と捨て台詞を吐くのです。

この話の中で、キツネが「ブドウを食べたい」という気持ちを持ちながら、でも「ブドウは手に入らないのだ」という矛盾した認知も抱えている……言うなれば「自分の中で複数の感情や事実認識がケンカしている状態」のことを、認知的不協和と呼びます。「甘い物は太るとわかっている」けど「食べたい」とか、「自分の方が仕事ができるはず」なのに「ライバルが先に出世した」とか、主に事実と感情が噛み合わない時に我々は認知的不協和に苦しみます。

そして、人は認知的不協和を抱えると、それを**解消しようとする**性質があるんです。キツネが「あんなのどうせ酸っぱいに決まってるさ！」と強がる行為がそれです。ブドウを「食べたい」のに「食べられない」という認知の不協和はキツネにとって大きなストレスであり、そのストレスを払拭するために、キツネは「そもそもあんなブドウは不味いに決まっている、よって自分は、あのブドウを**食べたくないのだ**」と考えを変えるわけです。「食べたい」のに「食べられない」なら認知の不協和で苦しいわけですが、「食べられない」けど**「別に食べたくもない」**なら、それは不協和でもストレスでもなくなるのですから。

私もよく女性にフラれた時などに、認知的不協和の解消に積極的に努めるようにしています。好きな女性にフラれた時、私の中には「あの人が好きだ」という気持ちと「でもつき合えない」という矛盾した認知が生まれるわけですが、そこで私はすかさず**「そ**

の女性の短所や欠点をできるだけたくさんノートに書き出す」という作業を行います。足が短いとか胸が小さいとかメールの誤字脱字が多いとか笑い方が下品とかあんまり物を知らなそうとかこの角度から見たら全然かわいくないとか金遣いが荒そうとか酒飲みすぎとか、ついさっきまで好きだった人のマイナス面を、思いつく限り粗探しして並べます。

そして書き出したひどい短所の数々をじっくり眺めてみると、「うえ〜、あいつってこんな欠点だらけの女だったんだな。**こんな奴、全然好きじゃないよ。フラれて大正解だったぜ!!**」と、感情と現実の溝が埋まり、見事に認知的不協和を解消できるというわけです。

……………………。どうや。**最低やろう? これがモテないランキング10億位の実力やでぇっ!!! 俺がなんでここまで桁外れの成績を残せているか、思い知ったかワレぇっ(涙)!!!**

とまあ、そんなふうに、人は認知的不協和を解消せずにはいられないわけですが……、そこでおじさんおばさんお年寄りは、ついつい「新しいもの批判」を行ってしまうんです。

私はファミコンを懐古&肯定すると同時に返す刀で最近のゲームを批判していますが、正直に白状しますと、私は最近のゲームをちゃんと理解しつつ批判しているわけではなく、単純に**最新のテクノロジーやシステムについて行けないだけ**だったりするんです。自分が頭の柔軟性を失った結果、新しいものは**なんだかよく理解できていないだけ**というう。

この時に、「おもしろい(はずの)ゲーム」なのに「自分はついて行けない」となれば、それは認知的不協和としてストレスになります。でもそこで、そのゲームを「こんなものはグラフィックに頼っているだけで、薄っぺらいゲームだ!」と批判すれば、「自分はついて行けない」けど「そもそもたいしておもしろくないゲーム」だから、できなくて全然OK、ノー不協和、ノーストレス! ということになるわけです。人間、年を取れば取るほど新しいものを「あんなものはくだらん!」と否定したくなってしまうのは、こんな心の働きもあるからなんですね。

私たちの多くが、つい油断すると「昔は良かった、今はダメだ」の懐古主義に染まりがちになるのですが、悲しいかな、その思いを持つ理由はどれもあまりかっこいいものではありません。

「ネコにまたたび、人間に懐古主義」というように(私が勝手に言っている)、懐古は我々にとって麻薬のように魅力的なもの。しかし一方で「昔は良かった……なんて言ってたまるか!」と、若者と一緒に頑張って今を生きる人、そういう人こそが同性異性問わずモテるのだと、そういう人間になれたら私もきっとろくでなしランキング最下位から抜け出せるのだと、自分に言い聞かせながら私は今日もまたお懐古様の誘惑に屈するのでした。

22. 実存主義

いよいよ最後の章、この本の締めくくりとして紹介するのは、**実存主義**です。

実存主義とはどのような思想なのか？　簡潔に表すと、「人間の本質ではなく個的実存を哲学の中心におく哲学的立場の総称。（広辞苑）」「人間の実存を中心的関心とする思想。合理主義・実証主義による客観的ないし観念的人間把握、近代の科学技術による人間の自己喪失などを批判し、二〇世紀、特に第二次大戦後、文学・芸術を含む思想運動として盛り上がった。（大辞林）」となります。

……………………。

え？　**わからないって？**

そうですか、この説明では難しいですか。まあそうですよね。

それではこうしましょう。みなさん、**各自で死神と取引して、残りの寿命の半分と引**

き換えに今の文章を理解できる能力を授けてもらってください。大丈夫、死神も神のうちなので、確実にやってくれますよ。なお取引の方法やシステムについて詳細は、マンガ『DEATH NOTE』をご覧ください。

……………。

なんちゃって。すみません、読者のみなさんにそんなことをさせるなら、私がいる意味がないですよね。そういう辞書の定義ではわからないような事柄を噛み砕いて説明するために、この本があるんですから。

だいたい辞書の書き方がどうも不親切じゃあありませんか。「実存主義ってなんだろう？　知りたいなあ」と思って辞書を引いた一般の人が、「合理主義・実証主義による客観的ないし観念的人間把握、近代の科学技術による人間の自己喪失などを……」の解説を読んで実存主義を知れるとは到底思えません。**その説明を問題なく理解できる人は、もうとっくに実存主義のことなんて知っている人ではないでしょうか。**「合理主義・実証主義による客観的ないし観念的人間把握」という文章の意味がわかってしまうくらい哲学や思想に造詣が深い人は、今さら国語辞典で実存主義を調べようなんて思わないでしょう。説明を理解できる知的水準の人は今さら辞書を引かないし、一方で理解できない人は**辞書を引いてもなにもわからない**という。**辞書ってなんなの？**と、根本的な問いかけをしたくなってくる今日この頃であります。

そこで、私の出番ですよ。これら「人間の本質ではなく個的実存を哲学の中心におく哲学的立場の総称」あるいは「人間の実存を中心的関心とする思想」といった文章をどのように理解すれば良いのか？　みなさんのためにこの私が、翻訳にチャレンジしてみようではないですか。………………。じゃあ死神と取引して能力をもらって来ますので、ちょっと待っててもらっていいですか？**（おまえもわからんのかいっっ!!）**

はい。この本では2度目の取引を終えまして、寿命は4分の1になりましたが実存主義についてもだいたいわかりました(涙)。

実存主義については、フランスの哲学者ジャン＝ポール・サルトルの言葉を追って行けば大筋が見えてくるでしょう。サルトルが述べた、**「実存は本質に先立つ」「人間は自由の刑に処せられている」**、この2つのモットーを掲げる思想が実存主義だと言って良いかと思います。

では順番に、まずは「実存は本質に先立つ」から。

実存というのは、「現実存在」の略らしいですがただの「存在」と解釈して良いでしょう。本質は、「目的」あるいは「機能」と言い換えるのがぴったり来ます。

人間というのは、目的より、存在が先立っているんです。

我々人間って、とりあえず生まれるじゃないですか。なにか目的を持って登場するわけじゃなく、ふと気付いたらいきなりこの世にオギャーと現れましたよね私もあなたも？

でも、「辞書」は違いますよね。辞書は、「わからない物事を調べる」という目的のために作られたものです。ふと気付いたら空間からいきなり用語の意味がやたら詳しく記載されしかもあいうえお順あるいはアルファベット順でソートされたぶ厚い冊子、がオギャーと登場し、それを後から人間が発見して「おおっ、なんだこの、用語の意味がやたら詳しく記載され検索しやすいようソートまでされた便利な冊子は‼　よし、では我々はこれを『辞書』と命名し、言葉の意味を調べるために使うことにしよう」と、存在が先にあり、後から目的をつけたわけではありません。

ちなみにサルトル自身がよく出していた例はペーパーナイフです。ペーパーナイフも、「ふと気付いたら突然この世にオギャーと現れて後から目的があてがわれた」のではなく、そもそも「紙を切る」という目的を持って作り出されたものです。だから存在より目的が先。

私たちの身の回りの物ってほぼ全部そうですよね。「椅子」というのは「人が座る」という目的のために作り出されたものだし、「カメラ」も「写真を撮る」という目的のために、「ハリセン」は「なるべく大きな音を出しながらかつ痛みは最小限にして人の頭を叩く」ため、「自己啓発本」は「自己啓発本を読めば本当に自己が啓発されるんだと夢想しているピュアな人々に同じような内容の本を何冊も買わせ、あわよくば著者のセミナーにも参加させ有料メルマガも登録させカモ……もといピュアな人に繰り返しお金を落とさせて制作側ががっぽり儲けるため」という目的のために、その存在が人間によって作り出されたものです。……そうです。最後の章ということで、**今までにも増して思い切ったことを言うようになっています。**

というように、辞書やナイフや身の回りのあらゆる物品は先に目的があって後から存在が来る、すなわち「本質が実存に先立つ」ということになるわけですが、ただし**「人間は特別で、物とは逆、実存が本質に先立つのだ」**というのがサルトルの弁なのです。私たちはなにかの目的のために生命という存在を与えられたわけではなく、なによりも先に、存在をしてしまっているのだと。

そんなことは当たり前と言えば当たり前ですが、サルトルの時代……20世紀初頭から中盤、またキリスト教やユダヤ教など一神教の強い地域では「人間は神が目的を持って作ったのである」と考える人も少なくなく、あえてそれを言う必要があったのです。

さて、人間はまず存在……実存が先に来るという話ですが、じゃあ、その後に本質が来るの？　物は目的の後に存在が与えられるが、人は逆だと言うならば人は存在の後に目的が与えられるの？　誰に与えられるの？　いつどこでどのように、どこから目的はやって来るの？　……というあたりを説明するのが、次のフレーズ「人間は自由の刑に処せられている」です。

これも洒落た言い方をしているけれど、要するに**「人間に特に目的とかはないよね」**と言っているだけのことだったりします。

我々人間って、どう生きようが自由ですよね？　物のように目的が固定されているわけではないので、なにになろうが誰と付き合おうが勤勉であろうが怠惰であろうが、自由です。ただし構造主義では**「そうは言っても我々の思考や行動は見えない構造によって規定されているのだ」**となり、実際に実存主義者と構造主義者は「人間は結局自由なのか自由じゃないのか」で罵り合ったりしているんですが、「見えない構造はあるとはいえ、その構造の範囲内、あるいは構造が及ばない部分では自由」ということは言えると思います。少なくとも戦時下や江戸時代など過去と比べれば現代人は遥かに自由だということは間違いないでしょう。

ただそこで、「人間は『自由の刑』に処せられている」。これはどういう表現なんでしょうか？　「自由」と「刑」という、プラスマイナスで逆の印象を持つ単語が並ぶ不自然さ。

女子プロレスラー神取忍選手の愛称**「ミスター女子プロレス」**あるいは**「女子プロレス界最強の男」**に通じるミスマッチ感があります。

サルトルに言わせると。

自由とは、苦しいものなんです。

人間は存在が先で目的が後であるのだけれど、じゃあ目的はいつ、どこからやって来るの? と、じっと待っていても、**目的がどこかから自動的にやって来ることなんてないんです。**

我々人間は、特に目的もなく存在させられ、どんな生き方が正解なのかを誰も教えてくれない世界で、自ら動いて目的に辿り着かなければいけない。「自由に選んでいいんだよ」と無数の選択肢を与えられるけれど、あまりの道筋の多さにひとつひとつを吟味する時間も手がかりもなく、えいやっ! と思い切って進んでもしょっちゅう転んで傷だらけになる。

自由とは、過酷なものなんですよ。自由な世界は、過酷な世界なんです。

私も賛同します、自由が「刑」と表現できるほど過酷だという主張には。

小学生時代、お楽しみ会や遠足の班決め、**「好きな人同士で、自由に班を組んでいいですよ~」**の時を迎えるのがどれだけ恐ろしかったことか。先生の「はい、じゃあ班決めスタート!」の合図で私が好きなクラスメートのところに駆け寄っても、向こうはこちらを好きじゃないので「えっ、おまえに来られても困るんだけど……」と困惑の顔をされ、そして後から来た仲良したちがどんどん「おおノブっち! 一緒の班なろうぜ!」と私を抜いてグループを成立させていくあの光景。あの孤独……。一方的な好意でしかなく誰とも「同士」などではない私は、「好きな人同士で自由に」なんて言われたところで同士(どうし)ようもありませんでした(クオリティ・タイミングともに失敗しているダジャレ)。

でも「混んでいる電車や劇場の自由席」なんていうのは、この世界の自由の厳しさを象徴している場に思えませんか? たくさんの人が足りない席に殺到する時、私なんかは「あっ、あそこが空いてるぞ! ……うわダメだ、座られちゃった。お、あっちも空いてる! ……ああやっぱり取られちゃった。あれっそこがひとつ空いてるんじゃない!? ……ああまた座られたか。**あああもう無理だぁ~~座れるとこがどこにもないよおおお~~~(号泣)**」と、いつ何時でも必ず席取り競争に負けます。

こういう時にあっという間に席を確保できてしまう人はいったいどういう人生を送ってきた人なのだろう? 自分となにが違うんだろう? 7男2女くらいの大家族で揉まれ育った末っ子なのだろうか? とかしみじみ考えますし、そこが堅実に子孫を残していける強い固体と、私のように10億代続いた血統を絶やしてしまう弱者の違いなんだろうなあとも思います。

アメリカのアルカトラズ刑務所を見学した際、音声ガイドで語られていた「元受刑者の言葉」の中に、とても印象に残った一節があります。

ある囚人が刑期を終え、何年かぶりに町に戻った日、通りを歩く人々がみんな「どこかに向かって歩いている」ことに驚いたと言うのです。「これだけ多くの人間が、ちゃんと目的地に向かって歩いてやがる！ 俺には行くところなんてどこにもないっていうのに」という、そんなセリフが元受刑者の声として紹介されていました。

長年刑に服していて、遂に自由を与えられた人が、自由を喜ぶよりもむしろ途方に暮れて絶望感に打ちひしがれてしまうという。

私もそれを聞いてゾッとしたものです。自分にもいつか、「行き先なんてどこにもない」という時が来たとしたら。刑務所で暮らすことは辛いのでしょうが、でも「すべての行き場を失った人生」は、ひょっとしたら刑務所以上に辛いのかもしれません。アルカトラズの囚人も、服役中は仲間がいて毎日の日課も定められ「刑期を終える」という目標もあったわけですが、いざ刑を終え自由の中に放り出されたらそのすべてを失ったわけですから。自由の刑とは言うけれど、時として自由は刑よりももっと辛いのかも……。

人間はペーパーナイフと違い、本質よりも実存が先にあります。そして自分自身にどのような本質を定めるかはまったくの自由。その「本質を自分で決めていい」という点がかえって苦しみを生んでしまうのだと思われます。仮に、ペーパーナイフも本質を自分で自由に決められるのだとしたら……、「お父さん。僕、果物ナイフになりたいんです」「なんだと‼　おまえはペーパー家の跡取りなんだぞ！　そんな勝手なことは絶対に許さん‼」「どうしてだよ‼　俺の人生なんだ、なんになろうと俺の自由だろ‼」**「バカ野郎‼　おまえのようななまくらに、果物ナイフなんて務まると思うのか‼」「やってみなきゃわからないだろ‼　チクショウ、こんな家、出て行ってやる‼」「おう出て行け‼　おまえなんて勘当だ‼」**……のような、争いが生まれてしまうかもしれません。自由があるから、葛藤や戦いも生まれてしまうのです。

本当はもう少しペーパー親子の続きを、駅で電車を待つ息子を今度はお母さんが追いかけて来て、**「実はお父さんね、昔『サバイバルナイフになりたい』と啖呵を切って、おじいちゃんと大喧嘩したことがあるんだよ。だからお父さん、本当はおまえの気持ちがよくわかってるんだよ」**と優しく語りかけ、父からの餞別が入った封筒を渡して息子号泣、のシーンなども描きたかったのですがページの都合で略としまして、**つまりそれくらい自由とは大変なものだということです。**

ペーパーナイフ親子の葛藤

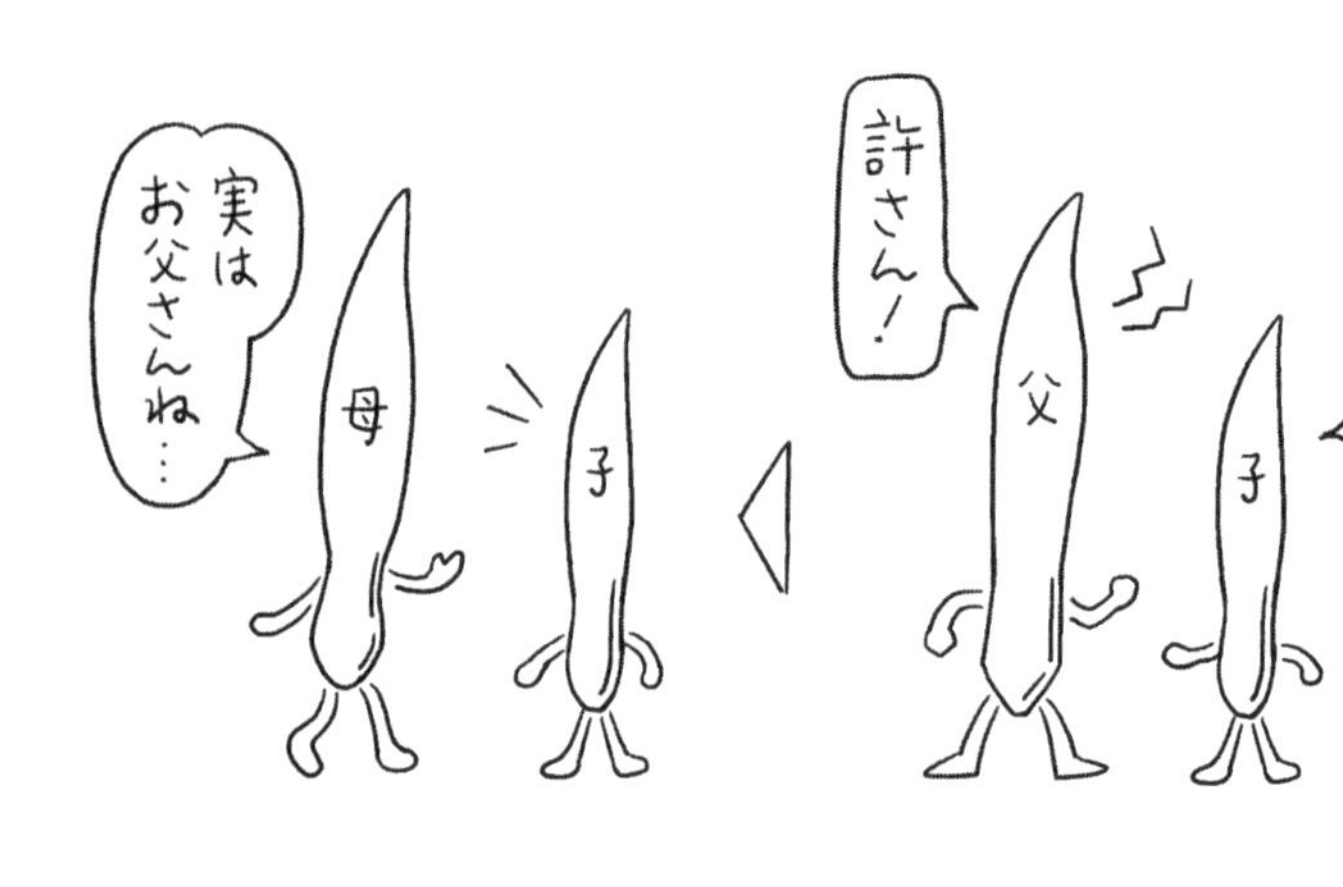

実際は本質が定められているペーパーナイフにはこういう葛藤は起こりませんが、我々人間は本質なく存在させられているため自由であり、だから葛藤して失敗して、苦しいんです。それが「実存は本質に先立つ」「人間は自由の刑に処せられている」という実存主義の概念です。

では、その苦しさから、逃れる方法はあるのでしょうか？

そこについてサルトルは、**「苦しみながらも自ら社会に参加したり、自分を未来に向かって投げ出して行動すべきである」**と述べています。

サルトルの言う「社会参加」は時代的な背景もあり「政治的な運動や活動をすること」という意味合いも強かったようですが、今であれば政治が絡まなくともなんらかの運動や活動や集まりや学校やお仕事や、なんでも「主体的に参加する」ということが自由の量刑を軽減するためのひとつの手段であると、サルトルの言葉を現代ふうに解釈するとそのように言えると私は考えます。

我々人間は、というよりそもそも地球とか宇宙そのものが、誰かから本質を与えられて出来上がったわけではなく、ただ偶然に、意味もなく存在を得た素粒子の塊でしかないんです。

そのような世界の中では、自分にふさわしい本質を探すヒントも基準もなく……というか逆に基準がありすぎて、どこから手をつければ良いのかがわからない。うかうかしていたら、無数の選択肢に圧倒されてただカオスの中、立ち尽くすだけになってしまう。

そこから抜け出すためには、まずは参加するのです。「たくさんありすぎて選べない」と放棄するのではなく、まずなにかを選んでみる。まずひとつ選んでその選択に参加してみたら、それが正解なのか不正解なのか、不正解だけど方向は合っているのかそれともかすりもしないのか、道筋が見えてくるというものです。

原稿を書いていてもそうですからね。まったく思い浮かばない、こうしたらどうだろう？　いやダメだ。ああしたらどうだろう？　いやおもしろくない。と頭だけで考えているとなにも進みませんが、「こうしたらどうだろう」の案を、ダメなのはわかっているけどダメ元でいったん書いてみる。そうしてひとつの選択を形にしてみると、「ああそうか、これはこうだからダメだったんだ」「じゃあここをこう変えてみたら意外とイケるんじゃないか？」と、少しずつ道が切り開かれたりするものです。

アルカトラズの囚人を襲った孤独のような「自由の極刑」から逃れるためにも、世間への参加、自分の本質を探す旅を続けることは、私たちが善く生きるために大切なことであるはずです。

※本書中の商品名は各社の登録商標または商標です。

あとがき

私は哲学者でもなければ社会学者でもなく、教員免許すら持っていない……せいぜい「作家」という名乗れば誰でもなれる肩書きしかない人間ですが、なんとありがたいことに、これで「お勉強系」の本は6冊目になります。

そしてこの「君たちはどの主義で生きるか」は、過去に執筆しながら私自身も学んで来た事柄たちの、集大成とも言える本になったのではないかと思っています。哲学を中心に、心理学も経済学も世界の時事問題も入るという個人的オールスター原稿になったのかなと。

お勉強系と並び私の2本柱である旅行記関連のエピソードも、主義・思想を具体性を持たせながら紹介する上でとても良い材料となってくれました。

そう考えると、この本は10年前では決して書けなかった本だなと感じます。その入り組んだ原稿をなんとか仕上げ、今こうしてあとがきまで至れている……。このことは自分の成長を表しているようで嬉しくもあり、しかしあらためて各章を読み返してみると例え話の品格のなさや口の悪さはデビュー当時と一切変わっていないという、物書きとして前進しているのか後退しているのかよくわからないカオスな状況ではあります。

ただその「ある部分では前進、ある部分では後退」という混沌を飲み込んでいるからこそ、功利主義や構造主義みたいな高尚なテーマの説明で「うるせえボケ!!」みたいなドはしたない表現が出て来るという、他に類を見ない、唯一無二の本になったのではないかと思います(それが良いことかどうかは知らん)。

今までのお勉強本と少し違うのは、今回は各思想に対する著者……私の個人的な見解をわりと多く盛り込んでいるという点です。

自然科学系(理系)の科目とは違い、主義や思想となると絶対的な正解が存在しないものであり、それだけに図々しくも偉人・賢人さんに便乗して「私が個人的に正解だと思う解答」も乱入させてしまいました。

もちろん正解がないわけですから、私の意見が正解だというわけでもありません。ただ、その中にもし「たしかにそうだね」と感じた部分がありましたら、みなさんそれぞれの思想の末席に取り入れていただけたら。反対にもし「全然違うだろ!! 違うだろ〜

このハゲーー!!」と憤る部分がありましたら、それはそれで「うわあこいつはひどいぜ！うちの子はこの著者みたいなろくでなしにならないように、しっかり教育しなきゃ。ほらタケシ、この本を見てみなさい。おまえはこんな品のない人間になっちゃダメだぞ！」のように、反面教師および反面教科書として使っていただけたら、いずれにせよ少しくらいはみなさんのお役に立てたということで光栄に思います。

ある意味、哲学というのはお勉強の中で「答えが出ていないもの」だけを集めた分野だとも言えます。アリストテレスの時代は科学も生物学も医学も天文学も全部哲学だったのですが、その中で答えが出始めた部門は、哲学を卒業して科学や生物学や医学や天文学として枝分かれしていったのです。

だから主義や思想のように哲学的な課題として残っているものは、それこそ天才的な頭脳を持つ哲学者・思想家たちが何百年も考え続けてまだ結論が出ていないテーマなんです。よって正解がなくて当たり前だし、だからこそ私たち一人一人が「自分なりの正解」を見つけ出す余地があるんです。私が見当を付けた「私の正解」には間違いも多いかもしれないですが、みなさんがみなさんの正解を出すために私の原稿が踏み台になれたら幸いです。

この本は私の遺作となるかもしれませんが……特に深い意味があるわけではなく苦

境の出版界の中で毎作そう思っているんですが……、しかしもし幸運にも次作があれば、またみなさん、次作で（未読の本がある方は過去作でも！）。きっと品格は未来も過去も成長しないままでしょうが、そんな私にお付き合いくださるならば、またなにかの作品上でみなさんにお目にかかれることを願っています。

2023年12月

さくら剛

さくら剛

1976年静岡県浜松市生まれの作家。デビュー作の『インドなんて二度と行くか！ボケ!! …でもまた行きたいかも』が10万部を超えるベストセラーに。以降、『アフリカなんて二度と行くか！ボケ!! …でも、愛してる（涙）。』『三国志男』『（推定3000歳の）ゾンビの哲学に救われた僕（底辺）は、クソッタレな世界をもう一度、生きることにした。』など著作多数。相対性理論など科学の世界を解説した『感じる科学』は、理研創立100周年を記念した「科学道100冊」に選ばれるなど高い評価を得ている。

君たちはどの主義で生きるか
バカバカしい例え話でめぐる世の中の主義・思想

2023年12月26日　初版第1刷発行
2024年 4 月30日　初版第2刷発行

（著　者）さくら剛

（発行者）江尻良

（発行所）株式会社ウェッジ
〒101-0052　東京都千代田区神田小川町1丁目3番地1
NBF小川町ビルディング3階
電話03-5280-0528　FAX03-5217-2661
https://www.wedge.co.jp/　振替00160-2-410636

（ブックデザイン）森敬太（合同会社 飛ぶ教室）

（装　画）師岡とおる

（イラスト）やまねりょうこ

（DTP組版）株式会社シナノ

（印刷・製本）株式会社シナノ

ISBN978-4-86310-277-4　C0010

＊定価はカバーに表示してあります。
＊乱丁本・落丁本は小社にてお取り替えいたします。